CW00403522

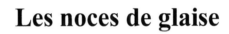

Les noces de glaise

Fabrice Hatteville

Les noces de glaise

Roman

LE LYS BLEU
ÉDITIONS

© Lys Bleu Éditions – Fabrice Hatteville

ISBN : 979-10-377-5299-4

À Désiré et Léon,
À leurs aimées,
À leurs enfants.

À tous les autres.

La campagne normande pompidolait son flegme. La maison se trouvait à distance du bourg, en bordure d'un petit hameau. Depuis la route qui reliait la sous-préfecture voisine, on pouvait la contempler dans son ensemble. Elle trônait, carrée, sérieuse, presque sévère, à l'extrémité d'un jardin lui-même assez strict. On montait quelques marches de ciment, avalées par des rhododendrons, puis on franchissait un étroit portillon. Alors se déroulait une allée de graviers blancs, ourlée de chaque côté de treilles de poiriers. Au-delà de celles-ci, de chaque côté toujours, s'étalaient deux parcelles de pommiers qui, passé le jardin, bordaient la demeure et rattrapaient la cour arrière, cerclée de l'ancien corps de ferme. Il était fréquent d'y voir paître quelques moutons et ils y étaient d'ailleurs ce jour-là. Le plant de droite abritait en outre le légumier, le courtil comme on disait ici, juste dans le recoin en bord de route. Richement planté, cultivé avec constance, il avait nourri en abondance et, par la grâce de ses choux fourragers, servi de terrain de jeux aux gamins de passage. Tant d'années plus tard, je me souviens encore de ces explorations conduites non sans une pointe d'anxiété, autant de ce que nous imaginions y découvrir que d'y être nous-mêmes débusqués.

Venant de la route on traversait cette perspective comme une galerie de verdure et, bien souvent, seule la plainte des gravillons navrait le silence. Ce matin-là cependant, d'une fenêtre ouverte, se dissipait une voix attentionnée :

« Est-ce que tu veux que je règle le dossier ? Non ? Surtout tu me dis, hein, si t'es mal installée. Il est comme d'habitude ?

9

Tu sais, je vais en avoir pour un petit moment et je ne serai pas tout le temps à côté, alors ne reste pas là comme ça si ça ne va pas. Tu n'y as pas touché ? Non ? Quelqu'un est venu qui l'a utilisé ? Non ? Bon alors ça devrait aller, hein, normalement ça ne bouge pas tout seul. On va vérifier quand même des fois que tu aurais oublié. Attention à ta manche. Mais si tu veux que je change un peu tu me le dis. Tu sais comment c'est après quand tu es mal installée. Le lundi Marie-Louise elle fait surtout l'étage, c'est qu'il m'a dit Papa. C'est bien ça ? Attends, je vais te reculer encore un peu. J'espère que c'est pas trop grave ce qu'il a son homme à Marie-Louise. T'as pas eu de nouvelles ? Je descendrai de temps en temps pour voir si tout va bien. Je te remets ta robe correctement. La grande salle de bain, les deux chambres et la petite remise. C'est bien ça ? Oui ? »

Remontant l'allée on ne trouvait pour rompre les lignes, juste à la sortie du courtil, qu'une petite rotonde creusée dans des buissons hauts. Elle offrait retraite à un simple banc ainsi qu'à quelques chaises.

« Et puis comme y'a tante Suzanne qu'est venue ce week-end avec les cousines et qu'ils ont tous dormi ici ça tombe bien. Comme ils ont utilisé les deux chambres, il y a tout le linge à faire et je vais aussi passer la salle de bain en grand. Ça t'a fait plaisir de les voir tous, j'ai bien vu. C'est normal, tu les vois moins souvent comme ils habitent plus loin. T'as pas l'habitude qu'ils soient loin comme ça ? C'est vrai que ça te change mais c'est plus comme avant tu le sais bien. D'un autre sens, je suis venue aussi avec Papa dimanche midi, et mes deux sœurs aussi, comme ça t'avais tout le monde, tous tes enfants et tes petits-enfants avec toi ! T'as encore Papa qu'est tout prêt, il passe tous les jours, même pas longtemps, c'est quand même de la chance tu trouves pas ? Et puis moi je suis encore là aussi. Regarde,

Marie-Louise qui doit s'occuper de son mari aujourd'hui, je peux faire ton ménage à sa place pour dépanner. La dernière fois, il y avait beaucoup de mouches ? C'est ce qu'elle t'a dit Marie-Louise ? Ça va là le coussin ? Il est pas trop haut ? Tu me dis hein s'il est mal mis, tu auras mal sinon. Ben écoute, je verrai bien si y'en a encore. »

À mesure que l'on progressait, la maison enflait sa carrure. Baignée du jardin, elle coulait avec lui un alliage d'austérité et de douceur, comme si l'on avait souhaité, non pas dissimuler la dureté par la légèreté mais, au contraire, les unir et couper la rudesse d'une once de quiétude. La tiédeur du lieu apaisait la rigueur de l'existence autant que celle-ci entravait celle-là, dans une étreinte indénouable que chacune dominait à son tour, se ballonnant pour étouffer l'autre, puis se repliant sous la réplique pour mieux repartir ensuite. Cette respiration avait ici été plus ample, plus forte, plus violente, et l'on recevait cette confidence au fil des pas que l'on osait.

« Tu sais comme c'est. Je sais pas d'où elles viennent mais bon, c'est comme ça. J'ai toujours vu qu'y'en avait. Heureusement que le produit marche bien, y'a plus qu'à les balayer. Tiens, je vais te mettre un autre coussin sur le côté, là, comme ça tu seras mieux calée. Autrement tu vas glisser. C'est surtout dans la chambre à gauche, celle à côté du grenier. Attention je te décale un peu. Je ne te fais pas mal ? Je ne sais pas si c'est ça mais c'est à chaque fois là qu'y en a le plus. Dans l'autre y'en a quasiment pas et rien dans la salle de bain. Tu sais pas, tu ne montes plus ? Ben non, d'un autre sens t'as pas besoin et qu'est-ce que t'irais faire là-haut à te risquer dans l'escalier ? Je vais mettre ce coussin-là, il est pas trop gros. Voilà. Ça va comme ça ? »

À l'aube d'atteindre la demeure, l'allée s'ouvrait comme en petit parvis en pleine largeur, tout de graviers blancs lui aussi et rehaussé de quelques auges de granit avec leurs géraniums. On accédait alors au seuil par quelques marches grises. Enfant, il m'arrivait de m'y asseoir, seul, lors de repas trop longs. Je saisissais alors une poignée de gravillons et, les yeux torturés de lumière, je me donnais pour jeu de lancer chacun d'eux dans un des bacs de pierre.

« Attention tu perds un chausson. Bouge pas Mémère, je vais te le remettre. Papa m'a dit de vérifier les produits aussi. Apparemment la dernière fois il en restait plus trop. Voilà c'est bon. Devrait y'en avoir assez pour aujourd'hui mais il va en ramener pour la prochaine fois. Ça y est. Tu me dis hein s'il y a quelque chose qui ne va pas. T'as pas froid ? Je vais refermer la fenêtre de toute façon. Ça fait du bien un peu d'air neuf comme il fait bon dehors. Tu veux une couverture sur tes genoux ? T'es sûre ? Donne-moi ta main. Ah si t'as un peu froid quand même ! Ça serait peut-être mieux une couverture sur tes genoux, hein ? C'est pas utile ? On va mettre quelque chose quand même ça sera plus prudent. Et puis le soleil va faire du bien aussi derrière les vitres. Il a l'air de vouloir faire beau. »

La porte s'ouvrait sur un couloir bordé de grands vantaux en verre dépoli. Il bissait l'allée, coupait le rez-de-chaussée en deux et débouchait, par une porte battante, quasiment face à l'escalier qui desservait l'étage. Sur sa droite se dérobait une pièce immobile. On n'y avait à vrai dire guère vécu, si ce n'est pour de rares banquets ou arbres de Noël.

« Je vais tout récurer dans la salle de bain. Voilà. Tu vois elle est bien cette couverture. Elle est juste assez fine. Et puis ça te met un peu de couleur toutes ces fleurs, il en faut bien un peu t'es toujours en noir ! On arrive aux beaux jours mais il fait encore un peu frais le matin donc c'est mieux de l'avoir sur tes genoux. Ça serait dommage d'attraper mal maintenant. Après l'hiver qu'on a eu, ça fait du bien un peu de soleil, hein. Je t'ai dit que j'ai croisé ta sœur Adèle l'autre jour ? Oui au marché, vendredi. Elle a l'air bien en forme ma foi. Elle vient te voir demain ? Ah ben ça tu dois être contente de la voir ta petite sœur Adèle ! Tu veux que je mette la télé ? Pas aujourd'hui ? Tu es près de la fenêtre remarque, il fait beau, ça va être agréable. Tu veux quoi ? La boîte ? Quelle boîte ? Une boîte dans l'armoire ? Attends, je vais voir et tu me diras. Tu sais moi je connais pas par cœur toutes tes affaires comme Marie-Louise. Elle a plus l'habitude que moi. Bouge pas je m'en vais voir. »

En ouvrant les battants de gauche, on découvrait au contraire l'espace où elle vivait et dans lequel elle se tenait. On rencontrait d'abord la grande table rustique, armée de sa bancelle. Dans l'angle à droite, sur le mur contigu, siégeait une armoire de mariage, massive, tenue de la famille proche, celle des hôtes étant, de coutume, installée dans leur chambre. C'est de là que Chantal venait d'extraire le coffret.

« C'est celle-là ? Oui ? Voilà, je te l'apporte. Je te la mets sur la console à côté ? Sur les genoux directement ? Ça ne va pas être trop lourd ? T'as l'habitude ? Je vais te mettre la tablette du fauteuil quand même, ce sera mieux. Ça ne risquera pas de glisser sur la couverture et tu pourras attraper plus facilement ce qu'y'a dedans. C'est bien comme ça non ? Attends, je vais te l'ouvrir si tu veux. C'est difficile tous ces petits bitoniaux-là. Faut pas avoir la tremblote. Voilà. Ça y est. »

À gauche s'ouvraient les deux fenêtres qui donnaient sur le jardin, entre lesquelles était le poste de télévision. Le mur opposé, face au visiteur et de l'autre côté de la table, accueillait en son centre une grande cheminée de briques qui se détachait du papier peint. Entre celle-ci et les fenêtres étaient deux transats rembourrés et leurs longs accoudoirs. C'est là qu'elle était, nichée à l'angle des murs, juste au coin d'une vitre, sa petite-fille s'activant à son côté.

« C'est une belle boîte dis donc que t'as là. Ça serait dommage de l'abîmer. C'est de ton mariage ? Ah ben dis donc je savais pas que t'avais ça. Et y'a quoi dedans ? Ah le coussin qui a glissé. Je vais te le remonter. Je vais descendre de temps en temps. Tu n'auras pas le soleil dans les yeux comme j'ai mis le fauteuil. Voilà je l'ai bien calé cette fois. T'es bien là ? Ça ne te gêne pas ? Attends, je remonte un peu le repose-pieds pour que tu ne perdes pas encore tes chaussons. Voilà, c'est mieux comme ça. Voilà tout à l'air bien maintenant. Tu veux pas me dire ? Pas maintenant ? C'est ta boîte à secrets alors ? Tes petits secrets de grand-mère ! T'as un amoureux, c'est ça ? T'es une petite cachottière en fait, tu ne montres à personne ce qu'il y a dedans ! Voilà je pense qu'on est bien là. Allez, j'y vais. Je monte faire les affaires et je redescendrai de temps en temps. À tout à l'heure. »

Chantal se retourna, longea la grande table et sa toile cirée, franchit le seuil de la cuisine puis bifurqua en direction de l'étroit couloir qui menait à l'étage. Du fauteuil il restait possible de suivre ses pas. Ils résonnèrent dans le grand escalier en bois, la porte du palier grinça, puis le plafond conta l'activité qui s'engageait.

De cet endroit elle n'apercevait du jardin que la rotonde fraîche des journées chaudes, ainsi que la naissance des rangs de poiriers. Un indécis vol de lumière s'extirpait des vitres et tentait, sur ses jambes repliées, d'égayer les roses de la couverture et leur pelisse de feuilles vives. En remontant, le regard rencontrait le sombre d'un épais gilet à la maille imperceptible que traversaient deux lignes brisées de fins troutrous. En haut de la poitrine, au-dessus du cœur, s'affirmait en relief un rameau d'olivier. Le col rond libérait un long cou, patiemment effilé par les ans. Marquée de quelques tâches, la peau blême peinait à se relever du reflet de la laine et laissait, par endroits, s'épancher ses surplus désœuvrés. Une fragile chaîne dorée en faisait le tour puis se confiait à la toilette.

Du menton en légère pointe s'élevait un visage allongé, rectangulaire, imperceptiblement plus large à hauteur des pommettes. Les lèvres fines, plutôt étroites, n'étaient soulignées de rien. Ici, on ne se maquillait pas. De chacun de leurs coins sillonnait un arc qui joignait, juste en haut des narines, un nez tout aussi mince. Ces deux courbes faisaient ressortir le dessin des joues, comme si la base du visage, du menton au nez, s'était voulue en léger retrait. Ce visage, malgré sa finesse, ne laissait place qu'à peu de rides et s'ouvrait sur un front large et dégagé. Les cheveux courts, que l'on devinait néanmoins fournis et revêches, laissaient visibles aux lobes de modestes pierres et encadraient l'ensemble sans mystères. Un passage assidu sous le casque en domptait avec élégance les boucles denses qui écumaient un gris clair allant fonçant vers le haut pour conclure dans un roux brun. D'un bleu resté vif, les yeux, joliment espacés, s'éveillaient derrière de grandes lunettes blondes. À cet instant, ils se perdaient derrière les vitres et, les abordant, on aurait pu y voir la lumière tisonner des flammèches d'existence. Plus près encore, les pupilles renvoyaient ce fragment du jardin qui se donnait à elle.

Était-ce ce qu'elle voyait ? Était-ce cette image qui l'occupait ? Que se passait-il derrière le miroir impassible de ce regard ? Qu'y aurait-on vu le traversant, puis cheminant, là-bas, tout au fond de ses pensées ?

Elle avait d'abord vu ce jardin. Elle avait apprécié le bleu du ciel qui ôtait sa blancheur auréale, remarqué les séductions du soleil sur les feuilles, relevé leur immobilité, le calme de l'air. Elle avait deviné les fruits naissants, observé la fraîcheur de la rotonde, y avait entrevu le poser d'une tourterelle, imaginé les chaises encore gourdes de l'hiver n'attendant que quelques sommes, ainsi que la petite table métallique, patiente, elle, d'accueillir jeux, verres et carafes.

Puis elle avait perçu les graviers, des voix d'abord diffuses, devenues plus précises. Le décor s'était troublé, progressivement estompé. Il avait laissé place à des silhouettes qui, à l'inverse, avaient affiné leur présence. On y distinguait deux enfants en pleine innocence. On y voyait aussi un homme qui riait avec eux, leur courait après, rugissait dans leur dos. Ils criaient eux aussi, dans leur fausse fuite, d'une peur de jeu et de vrai, cette peur qu'ils aimaient provoquer pour le plaisir mais qui, au fond d'eux, en réveillait une autre, instinctive, animale. Ils aimaient l'équivoque de leurs émotions dans ce moment-là, ne plus savoir ce qu'ils éprouvaient vraiment. Était-ce une peur feinte ? Une véritable crainte ? Ils aimaient marier leurs rires à leur frayeur, avoir, ainsi, la sensation de l'apprivoiser, de la dominer. Être, pour de faux, la proie d'un ogre, pour se dire que les ogres, pour de vrai, n'existent pas. Et lui, après avoir étiré la poursuite, les attrapait enfin, posait ses mains sur leurs petits corps, les enlevait de terre de ses bras puissants, les levait au ciel, triomphant, puis les ramenait à lui et singeait de les dévorer, dans un crépitement de rires. Alors il les embrassait sur le front, ce front si miel, si frais, puis les atterrissait, comme dans un lit de plumes. Et tout recommençait. La course, les rires, les grognements, les cris, la peur hilare, les mains qui serrent, le ciel qui fuse, la bouche sur la peau, les lèvres sur le front. Indéfiniment.

Le carillon sonna et envola les rires des enfants. L'homme aussi disparut. Elle tourna la tête et ramena ses yeux à la boîte. C'était un coffret très simple, un coffret de ménagère en bois qu'ils avaient reçu en présent. Le couvercle en était maintenu par deux loquets de laiton. À l'origine, quand on le relevait, il découvrait une pile de petits plateaux au velours accordé au bois. Dans les multiples encoches s'alignaient alors, parade d'étain et d'argent, couteaux, fourchettes et cuillers. Pour la soupe, pour les viandes et pour les desserts.

Elle y posait maintenant ses mains aiguelines. Ses doigts fins et pâles se détachaient nettement sur le bois sombre. Elle les voyait, délicats, qui caressaient la surface et respiraient la patine. Ils en mesuraient les blessures, les cicatrices infligées par les années, ces rayures, entailles et éraflures qui disaient le temps qui passe et le sort qui tâche. Elle s'attarda quelques secondes à hauteur du médaillon, au centre du couvercle. N'y subsistait que l'ombre d'une inscription, dérobée par le temps. Son témoignage, à lui aussi, s'était estompé. Elle remarqua que les manches de sa robe débordaient de son gilet et venaient mourir à la naissance de ses mains, au-delà des poignets. Elle souleva lentement le couvercle et se laissa prendre.

Ah oui, la photo ! En haut de la pile, la première, toujours et à jamais. Tout le monde était là. Les femmes dans leurs robes noires, discrètement coiffées de blanc, les hommes dans leurs blaudes, presque tous portant moustache. En tout une belle quarantaine d'invités, répartis sur quatre rangs. Tout cela avait bien changé. Même elle, la mariée, était en noir. Seuls sa longue coiffe et son bouquet blancs éclairaient sa tenue. Ils faisaient sur l'image comme des auréoles. On s'était mis devant le grand pignon en granit de la grange, juste en dessous de la porte du grenier par laquelle on serrait les récoltes. Un lierre y prenait ses aises depuis toujours.

La table en fer à cheval est dressée dans la remise, chez ses parents. Le cortège vient d'arriver de l'église. À la sortie on n'a déjà pas regardé aux arrêts, dans les cafés, tous les cafés, et il y en avait alors des cafés, il y en avait une alignée, une bordée de cafés, ça marchait, ça marchait fort, c'est là que la vie se faisait, se brassait, circulait, s'éventait, un bouillon d'hommes et de nouvelles, les bonnes, les mauvaises, les fraîches, les fatiguées, les vraies, les fausses, les plus ou moins fausses qui se faisaient plus ou moins vraies, un ferment d'arrangements, une levure de combines, une mêlure d'avouable et d'à voix basse, de prudent et d'à voix haute, un nœud de regards, en coin, en face ou en travers, de ceux qu'on donne pour dire ou pour savoir, pour attraper ou s'échapper, donner à voir ou ne pas être vu, pour faire accroire ou avouer, le cul sur les chaises en bois, creusées d'être frottées, qu'on dirait qu'elles vont casser, une main sur la cuisse, un coude sur le faux marbre au milieu des bavées, la main sur le crâne, les ongles dans les cheveux, à se gratter les idées, par-dessous la gâpette, et tout ça à la fois, bien enrobé et bien lié par un brouillard de tabac à rouler, de canons à expédier ou de pommes à gosier, avec de ci, de là, une envolée de cartes ou de dominos, pour faire durer autant que s'amuser, pour ne pas rentrer, pas encore.

Alors on les a tous visités les cafés, et les patrons des cafés, et les clients des cafés. On a clamé la noce après avoir chanté la messe, on a arrosé les mariés, empilé les tournées qu'on ne pouvait pas refuser, à grands coups d'à rabord, de débords, de tâches aux vestes et de doigts qui collent, de vœux clamés puis braillés, et de surtout la santé. On les a tous visités, l'un après l'autre, comme ils venaient, en remontant, pour n'oublier personne et parce qu'on connaît tout le monde. Puis on s'est relancé vers le lieu du banquet.

On peut bien dire qu'on a fait quelques arrangements entre familles, y'a pas de mal, il en faut bien, des histoires de gains à permettre, d'équilibres à trouver, d'entente à organiser, tout ça ça ne se rigole pas, mais ils se connaissent depuis longtemps déjà et s'apprécient sincèrement. On s'est donc passé des services de l'entremetteuse et ils ont accepté de bon gré l'augure des noces à venir. Actées les fiançailles, ils se sont souvent visités d'un côté ou de l'autre, ce qui leur a permis de consolider leurs sentiments naissants. Quelques sorties, chaperonnées avec finesse par sa sœur aînée, ont aussi conforté leur rapprochement.

On a prévu de poser à peine arrivés, avant de passer à table, en ce moment où la noce est encore d'une pièce. On a attendu quelques retardataires, uniquement des hommes d'ailleurs, éclipsés pour se délester au pied des pommiers, de l'autre côté de la haie. C'est bien commode d'être un homme, bien à son aise à se tarir comme on veut. Ça fait comme une volée de moineaux dès que l'occasion se fait, il en suffit d'un pour débander les autres. Alors il a fallu regrouper tout le monde et s'assurer que personne n'est de reste. Dame, ça a pas été facile de les faire rappliquer tous, absorbés qu'ils étaient à causer les doigts pris, du temps qu'il ferait ou qu'il ferait pas, qui les arrangerait ou les arrangerait pas, de ce qui viendrait ou ne viendrait pas, des ventes qui se toperaient ou se toperaient pas, reboutonnés ou pas, reboutonnant encore, déboutonnant à peine, chacun son tronc ou son coin de mur, chacun son petit bien-être à consacrer. Il leur en a fallu du temps pour pisser tous ces vœux qu'ont été faits, tous ces excédents de bonheur qu'ont prospéré en chemin. Mais il faut bien tout le monde quand même, on va pas faire une photo de moitié ! Et là, il y a tout le monde enfin, chacun à sa place, bien réfléchie d'avance pour ne contrarier personne.

Le photographe donne ses instructions. Ce n'est pas courant de poser pour des photos, on n'a pas l'habitude alors il ne faut pas les rater, surtout pas.

« Les enfants, tenez-vous bien sur les côtés !

— Tassez-vous donc !

— Ça c'est Octave qui s'en mêle, se dit-elle.

— Voilà, on y est presque. Le premier rang, posez vos mains sur les genoux et dressez-vous bien. Les rangs debout derrière, haussez-vous bien aussi qu'on vous voie tous ! Voilà ! Quand je vous dirai de ne plus bouger, bougez surtout plus ! Je vérifie encore une fois. »

La tête plonge sous le voile de l'appareil. On n'ose déjà plus remuer, on retient son souffle, l'instant est solennel, une photo pardi, une photo du mariage, si précieuse, celle qu'on gardera, que l'on regardera, que l'on montrera, qui fera notre mémoire ! Sa main gauche se crispe sur son bouquet tandis que l'autre, transie de maladresse, s'abandonne à celui à qui elle se lie. On s'arrête de vivre ou tout comme. Ça va durer longtemps, comme ça, à ne plus oser rien ?

« On y est ! Impeccable ! Ne bougez plus ! »

Ben non on ne bouge plus ! Ça fait déjà un moment qu'on ne bouge plus ! On doit avoir l'air bien là ! Qu'est-ce que ça va bien pouvoir donner cette photo ? Faudrait pas qu'elle soit ratée quand même ! Quelle affaire ces photos, ah ça oui, quelle affaire ! Mais bon, ça serait tellement dommage de ne pas en faire. La lampe s'était déclenchée dans un bruit sec.

Le photographe avait dit qu'on en faisait une autre. Personne ne se déridait, personne. Tous les visages étaient absolument graves, les regards concentrés, pour ne pas dire sévères. C'était pas convenable en ce temps-là d'avoir l'air réjoui sur les photos, c'était pas poli.

Elle était réussie cette photo. On voyait bien tout le monde. On reconnaissait même le sol branlant sur lequel on avait mis l'estrade, les petites pierres qui poussaient la terre, les herbes folles. C'est vrai qu'il avait un sacré chapeau ce jour-là, Étienne. Il le tenait à la main, posé sur son genou droit. Dame, on avait eu de la chance. Le ciel était nuageux mais il avait pas versé. C'était étrange de revoir tous ces visages, toutes ces personnes qui, depuis, avaient tant vieilli. Pour certaines d'entre elles. Désiré, tout en haut, fier comme tout. Il n'avait pas vieilli non plus, lui, non, il n'avait pas vieilli non plus. Et puis tiens, Roland. Lui non plus. Ils étaient encore tous là à ce moment-là. On avait bien fait de la faire cette photo, sans quoi on aurait bien du mal à se rappeler d'eux. Et quelle chance c'était d'avoir pu la garder, à travers tout ça, un peu usée c'est vrai, mais tellement précieuse.

Roland est debout. Il a reculé sa chaise et s'est levé. Il fait tinter son verre avec son couteau. Il commence à faire bon dans la grange. On est serré finalement, comme d'habitude il y a moins de place qu'on aurait pensé. Qu'est-ce qu'il va faire ? Tout est possible avec lui, loustic comme il est !

On vient tout juste de terminer le rôti, du veau de chez les parents qu'ont été bien gentils de l'offrir, et apparemment il a bien plu. C'est quand même mieux que du poulet comme on en voit d'autres fois. Il faut dire qu'il était bon, et bien cuit avec ça, bien rosé comme il faut. Elle savait qu'elle pouvait compter sur Cécile et ses filles pour la cuisine, elle n'est pas déçue, ça aussi ça lui fait plaisir. On n'a jamais été déçu avec elles de toute façon. Il y a encore le dessert. Reste à espérer que les diplomates à la crème seront réussis. On a balancé longtemps avec une génoise aux fruits. Les goûts des uns, les envies des autres, et puis ceux qui payent, et puis ceux qu'on veut qu'ils soient contents. On n'en finit jamais de tout ça, on croit toujours que ça va être simple, qu'on va juste se faire plaisir, mais c'est pas comme ça. On peut bien nous dire que c'est notre fête et que c'est nous qui comptons, c'est pas comme ça que ça se passe, on veut faire plaisir aussi, et puis on nous fait sentir. Faut espérer qu'on a bien fait. Ça serait trop bête de finir sur un regret. Peut-être qu'on se fait des nœuds à la tête pour rien. On est encore en train de s'en faire d'ailleurs, c'est quand même bête, au lieu d'en profiter.

La boisson pousse son avantage, il faut bien le reconnaître. On capitalise sur la sortie de la messe et on se trouve de plus en plus à l'aise. Le cidre et le vin ne manquent pas, on se chauffe la glotte, on se rince, on fait glisser, on prend soin du bien-être, on lui pousse le vol, on lui souffle dans les ailes. On n'est pas là pour se rationner de toute façon, il y aura assez d'occasions pour ça, comme il y en a déjà eu d'autres. Et c'est vrai que par là-dessus le trou normand a été prodigue, bien comme il faut de chaud et de glace pour creuser et repartir du bon pied. On peut dire qu'il est bon le calva des parents. Tant mieux, parce qu'il repassera mettre de l'entrain dans le café.

Qu'est-ce qu'il veut donc faire Roland qu'il insiste comme ça avec son couteau sur son verre ? Les voix baissent, puis se taisent. Quelques chocs de couverts traînent encore sur des assiettes. Elles sont belles aussi les assiettes, oui elles sont belles, en barbotine, blanches avec de grands reliefs de fleurs. Leur bord se dandine, comme une corolle de pétales. Un liseré lilas en fait le tour, parcouru de rainures claires irrégulières, comme des veines. De là, par leurs pointes, s'épanouissent des feuilles en couronne, presque transparentes, qui, elles-mêmes, disparaissent vers le centre sous quatre bouquets, des hortensias peut-être, de la même teinte que le bord. De belles assiettes pour leur banquet. Le silence est complet désormais. Un silence comblé, badin, espiègle, un silence enchanté, léger, qui s'évapore dans l'air laiteux, y fait un vent frais de bonheur ensemble. Il est tranquille ce silence, il est coulant. C'est beau le silence quand il laisse entendre les rires à l'intérieur, quand il suspend le bonheur, le surprend, là, comme on prend une photo, le bonheur entier, complet, parfait, le bonheur de cet instant-là, celui de chacun et le même pour tous, quand il est une pause qui n'arrête rien, une respiration, une empreinte, un étonnement, un trait en dessous, une seconde, une poignée de secondes, pour goûter, savourer, jouir et jouir à l'avance, comme on trempe une cuillère dans une bonne pâte pour savourer, déjà, le gâteau qui arrive. Elle le déguste ce silence, elle le savoure avec le goût de pourquoi qu'elle sent monter en elle. Car elle sent bien qu'il est pour elle, que c'est à elle qu'on le fait, comme un élan pour que tout se réenvole, plus fort et plus beau, pour que la fête reprenne plus ardente et la prenne, elle, la soulève et l'entraîne dans la danse et la valse de sa vie. Elle l'entend ce silence suspect, tapi dans le jour, prêt à commettre son forfait, à la pousser devant, à lui chaparder sa réserve, son au-milieu-de-tout-le-monde, elle l'entend dans les yeux, dans les bouches, dans l'attente qu'elle seule n'attendait pas. Il l'a attrapée par jeu, par surprise, comme un être cher parti loin et qui, un jour, se serait faufilé dans son dos, sans qu'elle le voie, aurait posé ses mains sur ses yeux et lui aurait dit : « Qui c'est ? »

Elle ne sait plus quoi penser. Elle ne sait plus quoi attendre. Ils ne bougent plus, ne parlent plus, même chuchoter ils ne le font plus. Ils la regardent. Et puis la porte aussi, la grande porte de planches, tout au fond, en face d'elle, par où on rentre les charrettes et qui, aujourd'hui, fait comme un grand portail de fête. Ils vont, ils viennent, de l'une à l'autre, les yeux, les têtes. Il y a Henri, penché en avant, posé sur ses deux coudes, ses grosses mains jointes qui se frottent de plaisir et les yeux qui rigolent à sa voisine, Maria. Et puis Léon, cambré sur son dossier, le dos sur le rebord et les reins qui respirent, les bras croisés bien haut sur la poitrine et les mains posées à sa façon, sous les aisselles, le pouce par devant, un mégot froid au coin des lèvres et le sourire distille. Et puis plus loin, là-bas, c'est Émilie, en pleine dignité de fête, le réjoui tout en maîtrise, qui se tient bien droite comme il faut, les mains à plat sur les tréteaux et le sourire en abrégé. Elle aperçoit aussi ses deux aînées, Alphonsine et Florentine, avec leurs hommes à elles, Edmond et André. Et puis Arsène, avachi en travers, qui tapote son couteau sur la nappe, la belle nappe blanche qui éponge les agapes sans broncher mais qui commence à peiner. Et puis tous les autres, Juliette, Eugène, Augustine, Jules, Joseph, Adeline, Antonin, Martial, Eulalie... Ils sourient tous, dans un grand tableau content. Elle voit bien qu'ils lui jettent des regards amusés, des coins pas nets, du pas clair en œillades. Il va se passer quelque chose, ça oui, il va se passer quelque chose, elle le comprend qu'ils ont manigancé quelque chose. Mais quoi ? Quoi donc ? Qu'est-ce que c'est encore que cette histoire ? Et lui, à côté, qui ne dit plus rien non plus, qui ne bouge plus non plus, et qu'à l'air ravi aussi, d'avoir son compte d'aise comme les autres. Il en serait donc ? Ça ne l'étonnerait pas. Elle n'ose même plus se retourner vers lui. Elle a peur de croiser son regard, cet aveu taquin dans ses yeux. Elle n'ose même plus se pencher sur lui, chercher son réconfort pour n'y renifler que malice. Elle n'a plus qu'à se laisser flotter dans ce grand chut que tambourine son cœur. Elle aimerait être sûre que les autres ne l'entendent pas tellement ça lui raffûte en dedans, à craindre que ça lui remue le corsage, faut espérer que ça ne se voit pas non plus, elle aurait l'air fine comme ça. Qu'est-ce qu'elles sont longues les secondes quand elles nous entraînent on ne sait où, quand elles nous enlèvent comme on chipe à la volée, ni vu ni connu.

Roland recommence à taper sur son verre, mais pas comme la première fois, c'est plus une commande de silence. Il tape des petits coups, d'abord très lents, puis accélère. Alors tout le monde reprend d'une main sur la table, des deux pour les plus allants, de plus en plus vite, de plus en plus fort, et certains y amassent leur voix, les pionniers du gosier, l'avant-garde de la braille, puis quelques autres, puis tous les autres. Tout le monde s'y met, et ses sœurs, et lui à côté. Elle s'en doutait bien. Les planches tremblent, les verres tremblent, les fourchettes tremblent, et les couteaux, et les cuillers, et les assiettes. Tout tremble, l'air et le sol et les têtes. Ça fait un boucan du diable, elle n'entend plus son cœur tellement ça branle, tellement ça tape et tellement ça brait. Ils font la fête, leur fête, ils s'amusent, ils sont contents, alors elle aussi elle est contente, et elle se laisse porter, enfin, un peu, porter par eux qui lui soulèvent la peur à lui vouloir du bien. Alors, au fond, dans les deux grands battants ouverts comme des cuisses d'accouchée, apparaît une silhouette qui s'avance, doucement, encadrées par deux plus petites, et qui perce le tumulte de sa marche tranquille. Et voilà que ça double la mise, et que ça la triple, et que ça se néglige, que çà se déniaise la gêne, et que ça gueule à renflouer les assiettes, et que ça tape encore plus, à qui le plus fort, à qui le moins noble, et des pieds par terre, et des genoux par en dessous, et les hommes, et les femmes, et les gosses, et tout le monde à qui mieux mieux, dans un grand concours d'en veux-tu, dans une surenchère d'on s'en fout, dans un tapage grandiose qui crache son feu de boisson et douche sa mousse d'oubli. Il n'y a plus rien, il n'y a plus la vie qui file ou qui colle, il n'y a plus les jours qui s'entassent, plus rien qui passe ou qui s'obstine. Il n'y a plus que cet instant-là, ces ici et maintenant acharnés qui s'accolent et s'embrassent dans une grande baignée de bruit.

Mon Dieu ! Elle a compris. Elle a vu et elle a compris. Ah, les cochons ! Ah, ça, qu'est-ce qu'ils lui ont fait comme tour ! C'est ça marraine qui s'avance vers elle, Marie qu'elle s'appelle, escortée de la petite Léonie et du petit Pierre. Elle s'avance droit vers elle, dans les deux bras de la tablée, et elle porte un globe, le globe de la mariée, son globe de mariée, son globe à elle. Alors, comme il lui prend la main, le flot lui monte aux yeux. Ah le cochon ! C'est encore lui qu'a fricoté tout ça ! Ah ça, elle s'est bien fait avoir, il l'a bien manœuvrée l'andouille, et elle a sauté à pieds joints dedans, grande naïve qu'elle est ! C'est cher un beau globe, c'est l'habitude mais c'est cher et, par les temps qui courent, ils ne pouvaient pas vraiment se permettre. C'est beau, l'objet est beau, le symbole est beau, mais quitte à ne pas pouvoir tout s'offrir autant se caler sur ce qui sera le plus utile et qu'on pourra user. Alors ils s'étaient offert les tenues, les chaussures, le photographe, et pour le reste on s'était arrangé et, avec le regret au cœur, elle s'était fait une raison de renoncer à son globe. Il faut dire que ça faisait des semaines qu'il la travaillait à ce sujet, qu'il lui expliquait qu'après tout, ils seraient au-dessus de ça, qu'ils n'en avaient pas besoin, pas eux, que leur amour était au-dessus de tout ça, que ce n'était pas d'y mettre autant qui le ferait plus beau et plus en pour toujours. Et puis ça partait en vieillerie, il le sentait bien, on pouvait être de son temps et même de celui d'après, on pouvait être plus moderne, faire à sa façon, en simple, comme ils étaient, et se promettre sans preuve. Et puis ça nichait la poussière un globe, c'était du soin en plus, ça finissait jauni, on se trouvait vieux d'autant à regarder sa vie sous cloche, la vie c'était dehors, c'était plein d'air, c'était en branle, c'était pas immobile sous un verre, et puis on avait toujours peur de le casser, de le faire tomber de son rebord de cheminée, alors on le mettait à l'abri, on le cachait, on le remisait. À quoi bon alors ? Y'avait mieux à faire non ? Il l'avait emporté. Il avait probablement raison, ce n'était pas si important, pas le plus important en tout cas. Ce serait de belles noces quand même, ils seraient heureux quand même, et puis elle aurait ses sœurs avec elle, et ses parents, et tous les autres, et on passerait un beau jour ensemble, c'était bien ça l'important.

Mais il est là son globe. Il est là qui vient vers elle, devant ses yeux qui débordent et qui peinent à voir. Et lui, il lui sert la main, et elle sait qu'il la regarde, comme tous les autres, et elle n'entend plus rien du grand charivari qui lui fait un triomphe, au milieu de tout qui tremble et qui s'envole. Elle les devine qui crient leur bon coup et le tapent de tout ce qu'ils peuvent, ah ça ils peuvent être fiers ! mais tout s'étouffe dans la grande cotonnade d'extase qui la saisit. Ils étaient tous au courant ! Depuis le début, depuis des jours, depuis ce matin. Lui, ses sœurs, ses parents, et tous les autres, ils ont tous comploté sa cloche ! Et elle n'a rien vu, rien senti, rien soupçonné. Elle n'a rien trouvé de bizarre dans toutes leurs sornettes, non rien ! Depuis tout ce temps ! Et aujourd'hui, ils sont tous venus la saluer, lui dire un mot, la féliciter, l'embrasser. Et bien avant ils l'ont tous croisée, ils ont travaillé, mangé, causé ensemble. Et ils savaient tous, et elle ne devinait rien ! Ah, ils ont bien dû s'en rissoler du rire dans son dos et il y avait bien de quoi ! Elle se sent si bête maintenant de s'être laissée berner comme ça, si bête, mais elle ne leur en veut pas, elle ne peut pas leur en vouloir, elle va l'avoir son globe !

Le voilà qu'est là maintenant, posé devant elle, réel à le toucher, et elle n'en revient toujours pas. Qu'il est beau avec tout ce doré qui monte de la garniture rouge et tous ces petits miroirs ! Elle n'arrive pas à tout voir encore, elle ne veut pas d'ailleurs, elle le regardera plus tard, demain peut-être. Elle le découvrira dans tout le temps qu'il faudra, dans tout le plaisir qu'elle voudra, avec lui et avec ses sœurs. Elle en dénichera tous les détails, tous les symboles et toutes les intentions, et ils en parleront et ils lui raconteront. Oui, il faudra bien qu'ils lui disent toute cette mise en scène qu'ils lui ont faite, ils lui doivent bien ça, il faudra bien qu'ils lui disent aussi comment ils l'ont choisi, comment ils l'ont voulu, ce qu'ils y ont mis et pourquoi. Elle voudra tout savoir, les feuilles, les fruits, les fleurs de l'armature. Et les miroirs. Il sera à elle pour toute sa vie et elle y mettra toute sa vie, et puis tous ses espoirs, car il est là pour ça. Il sera l'écrin de ses joies et de ses peines, de tous les moments qu'elle choisira, ceux qui compteront, en grand et en petit, et elle y mettra ces petits objets et ces petites choses qui en seront les pépites de pour toujours.

Il s'est levé à côté d'elle. Sa main flanche dans la sienne. Le silence s'est à nouveau fait. Il soulève la cloche de verre et la pose juste à côté. Une belle cloche, bien polie, bien transparente, qui semble si légère et qui doit chanter si doux aux doigts. Puis il se tourne vers elle et la regarde. Ses mains s'approchent de sa poitrine, il dégrafe la broche de mariée qui orne sa robe, replie l'épingle, puis la pose sur le petit coussin. Alors elle tend ses mains à son tour, saisit le revers de sa veste à lui, lui retire sa broche à lui, et la pose à côté de la sienne. Elle le regarde. Elle lui sourit. Il remet la cloche sur son socle. Ça y est, leur vie à eux vient de commencer.

Et le tapage reprend de plus belle.

Et puis là, au deuxième rang, derrière elle, un peu sur sa gauche, c'était ses deux cousines, Valentine et Berthe. Elles étaient déjà mariées à l'époque. Valentine de l'année d'avant mais Berthe c'était peut-être bien encore deux ans de plus avant. Oui, ça devait être ça puisque, elle s'en souvenait, on avait causé du changement de dizaine dans les ans. On se demandait bien ce que cela allait amener. Aussi bien que le siècle ? Pire ? On essayait de prédire. Berthe pas plus que les autres ne pouvait se douter de ce qui guettait. Mais on ne pouvait pas savoir. Si on avait su... Dame, si on avait su tout ce qui allait arriver... Et tout ce qui n'arriverait pas à cause de tout ce qui allait arriver. Non, on ne pouvait pas savoir.

Berthe s'approche et passe son bras sous le sien. Elle est belle dans sa robe grise, avec son grand décolleté par-dessus une chemise blanche. Dans son bras libre, elle porte son aîné, mis dans des layettes bien propres et un bonnet tout frais. Son ventre ne fait plus mystère de l'arrivée du second.

« C'est pour octobre c'est ça ?

— Oui. Juste après la Saint Michel m'a dit le docteur. J'ai hâte. Si tout va bien on aura tout terminé. On sera plus tranquille pour s'en occuper. »

Elle rayonne. La grossesse, le ménage qui se porte bien, le petit qui forcit, la ferme qui donne, son homme qui la soigne. Elle parle. Elle parle encore et encore. Elle déverse son bonheur en mots, une rivière de mots qui coule de sa bouche et noie son sourire.

On revient d'aller voir leur nouvelle demeure. On a fait le tour du propriétaire comme on dit, même s'ils ne sont pas propriétaires à vrai dire. On a admiré les installations, imaginé des constructions, fait des plans, des suggestions, soumis des idées. On a inspecté le trousseau, les dizaines de draps, de torchons et de serviettes, brodés par les femmes, sa mère et ses sœurs, au long de centaines d'heures, parfaitement pliés, alignés, pas un qui dépasse, pas un que l'on remarque, juste ces piles blanches, parfaites, enrubannées, cet ordre rassurant qui semble immuable et qu'on n'ose pas remuer. Il en fallait de tout ça, « un cent de tout » comme on disait, à cause qu'on ne faisait la grande lessive que deux fois l'an. C'est important le trousseau. On a bien évalué l'armoire où il s'empile, une belle viroise, bien campée sur ses quatre pieds, massive, vigoureuse, finement sculptée cependant. Quand elle était née, on avait abattu un chêne, un beau chêne qu'on avait repéré pour elle et qu'on lui avait gardé. Toutes ces années, il a séché, il s'est préparé, lui aussi. C'était son chêne, il était un peu son premier fiancé. Et quand l'union fut annoncée le menuisier s'y est collé, et elle est là maintenant. On s'est aussi extasié sur le brillant de la ménagère, dans sa belle boîte en noyer, exhibée sur la table, offerte, ouverte aux regards, on a poussé des hauts-cris, on a compté, décompté et recompté, on a comparé en silence, on a félicité en dehors, jalousé en dedans, pavoisé parfois, en se retenant les yeux, on a devancé les banquets, on a fait des menus et on s'est invité d'avance.

C'est leur ménage qu'on vient d'inspecter, leur vie qu'on vient de baptiser, c'est leur bien qu'on a imaginé. Tout cela est comme l'existence qui s'avance, laborieux, épais, solide, avec au milieu, aussi, de la légèreté, de la finesse et de la beauté. On marche sur la route pour revenir chez ses parents. Berthe lui tient toujours le bras. Elle n'en finit pas de causer. Le cortège s'abandonne, se laisse aller, dégouline son chemin. On a bien mangé, on a bien bu, on se trouve bien, on s'étire la compagnie, on s'éparpille à mesure de son compte. Ça fait du bien de prendre l'air, ça ventile les idées et ça remet du frais au sang. On va remettre ça ce soir et après on écartera les tables, on dansera, enfin les invités, parce qu'eux... Ça fait du bien de penser à cette vie qui arrive, de s'y projeter, d'en avoir envie, de se dire que ça va bien se passer, qu'on va être heureux. Ça lui fait du bien aussi d'écouter Berthe, d'être heureuse avec elle, de laisser ses mots s'échouer dans ses pensées, de les laisser dessiner des images dans sa tête, celles de son bonheur qui devient le sien, celles de ses enfants qui deviennent les siens. Ça fait du bien de se marier, c'est comme le début de l'infini on a l'impression.

Tiens, là, sur le côté, complètement à gauche, derrière les enfants, c'est le voisin Désiré qui s'était trouvé là. C'était bien agréable parce qu'il avait un accordéon et qu'il s'en débrouillait bien. Alors c'est lui qui avait fait guincher la noce. Ça oui, ils avaient bien dansé. C'est ce qui s'était dit en tout cas. Car le moment où Désiré avait sorti son instrument, c'était aussi celui où ils avaient filé en douce, pour se retrouver à deux, là-bas, un peu plus loin, dans la chambre des mariés.

Comme la nuit est claire. Et cette petite brise, elle fait tellement de bien sur la peau chauffée par les plats, les boissons sans fond et les voix pesantes. C'est bon de sortir. Inquiétant aussi. C'est une drôle d'impression ce nœud à la poitrine, ces rubans dans le ventre, cette causerie des sentiments et des sensations, ce désir qui se donne à l'inquiétude. Ça lui fait bizarre. À s'avancer, l'air fraîchit davantage. Si cela fait du bien au corps, cela ne fait guère aux tourbillons. Ils marchent sur la terre nue. Devant eux s'étalent les pommiers dans leur herbe grasse. Il y a cette odeur du printemps, mélange de vert, de frais et de fleurs. Les arbres délaissent leurs robes blanches dans un tapis clair qui s'élève, patiemment, vers la maison, là-haut, à l'autre bout de la fête. Escorte intime et silencieuse, ils accompagnent de leurs branches tortueuses cette patiente montée vers le sommet. Toutes ces pensées qui se bousculent et s'amalgament.

Ils passent à côté du tas de fumier, du puits juste à côté, de la petite mare et du lavoir. Une main se pose sur sa hanche, il la serre un peu contre lui, elle se laisse aller, elle essaie. La musique s'évapore en arrière. La noce les salue, s'éloigne, les laisse. Se dessinent maintenant le calme étoilé, comme l'inconnu qui paraît, le bruissement de l'herbe, comme l'étoffe qui glisse, le murmure des champs, comme les confidences qui s'élancent. Comment est-elle ? Que ressent-elle ? Que pressent-elle ? Elle ne sait pas. Elle ne pense pas. Elle marche, là, dans cette herbe, sur ces pétales, entre ces arbres, sous ce ciel, près de cet homme, vers cette maison, ces quelques marches, cette chambre, ce lit. Sa longue robe noire commence à lui peser. Est-elle pressée de la quitter ? Elle ne sait pas. Est-ce la fatigue, est-ce l'inquiétude, est-ce l'envie, est-ce l'impatience ? Est-ce tout cela ? Elle ne sait pas. Elle marche. Elle perçoit ce bras, troublant, un peu encombrant, ce corps, ce visage, cette respiration qui s'immisce. De quoi sourit-elle ? Elle ne sait pas. Ils ne parlent pas. Ils vont vers eux, vers eux seuls, vers la vie, leur vie, les vies qui arriveront, côte à côte, comme ils feront toujours. L'odeur de la terre est là aussi, cette terre lourde, plantureuse et prodigue. Qu'elle est bonne cette odeur de terre encore tiède.

Ses doigts tremblaient la photo. Malgré les accoudoirs, elle ne pouvait les taire. C'était comme ça, mais bon, elle y voyait encore assez clair, c'était ça l'essentiel et elle se disait que, par chance, ils étaient tous là ce jour-là, et qu'elle pouvait les voir à nouveau, à chaque fois qu'elle souhaitait. Elle retourna l'image et la posa, à l'envers, sur le haut de ses jambes.

Ah oui, celle-là aussi ! On l'avait prise dès le matin, avant les cérémonies. On avait fait ça au même endroit, chez ses parents. On avait pris la pose devant les planches du poulailler. Quelle idée à y repenser, une photo de mariés devant un poulailler !

On avait mis de la paille au sol pour ménager les souliers, recouverte d'un tapis pour faire joli. C'était un beau tapis, qui venait de chez ses parents à lui. On avait bien pris garde mais il avait quand même fallu le nettoyer après. Bon, c'était pour le bien tout de même, c'était leur mariage, c'était pas rien. Les motifs faisaient sept grandes bandes qui s'étiraient sous leurs pieds, en partant du mur derrière eux. Elles étaient décorées alternativement d'un damier pour les unes et de losanges pour les autres. Elle soupira. On voit un peu la paille en bas de la photo. Le photographe aurait pu faire attention.

« Alors les amoureux ! C'est le grand jour ! C'est les noces ! Dame, depuis le temps qu'on en parle ça doit vous faire quelque chose ! Je sais bien, j'y suis passé avant vous ! Allez, approchez donc un peu, faites pas les timides, faut qu'on fasse une belle photo de tout ça, pour les souvenirs ! »

Elle se risque timidement vers le tapis, impressionnée par le jour, le moment, la photo elle-même. Il la suit.

« Alors voilà, j'ai mis le tapis là pour que ça fasse plus propre, comme on avait dit. Et puis comme ça, vous allez pas crotter vos souliers. Vous êtes sacrément bien mis dites donc, voyez-moi ça, ça serait dommage de gâter ça. Ah, dame vous pensez bien, il faut qu'on fasse une belle photo ! Ah mais regardez donc, vous avez pas mis vos épinglettes ? Vous en avez pas prévu pour les gens de la noce, qu'ils mettront à leur revers ? Oui ? Ah ben faut qu'on en mette pour la photo alors, comme ça, ça fera vraiment la photo de vos noces. Vous en avez-là ? »

Elle hoche la tête.

« Dans ce cas, est-ce que quelqu'un peut aller en chercher une paire ? »

Elle se tourne vers sa sœur cadette qui est restée avec eux.

« Adèle, ramène-nous donc deux épingles qui sont dans la maison, sur la grande table. C'est une bonne idée, ça va être joli. »

Elle la regarde s'éloigner avec tendresse. Elle semble tout aussi anxieuse et heureuse qu'elle. On se comprend entre sœurs, ça oui on se comprend. Qu'est-ce qu'on a pu se dire, se confier comme secrets… C'était vraiment une chance d'avoir une sœur comme celle-là. Elle a un amoureux elle aussi. Son tour viendra et, ce jour-là, si les rôles seront inversés, les transports seront les mêmes.

Le jour est bien monté déjà. Elle note la clémence de l'air et le calme qui règne. Elle a l'impression étrange d'être extérieure au monde, comme si elle flottait au milieu de tout ça, spectatrice de son jour. Est-ce cela le trac ? La voix du photographe la tire de sa rêverie.

« Bon, pendant qu'Adèle est partie on va commencer à se mettre en place et je vais vous expliquer comment ça se passe. Tiens mettez-vous là, comme ça. Le marié à gauche, la mariée à droite. Voilà. Rapprochez-vous tout de même un peu ! Vous serez mari et femme dans pas longtemps ! Faites pas les timides ! Voilà, c'est mieux. Serrez vos pieds aussi, chacun, voilà, encore un peu le marié, voilà. C'est mieux comme ça. Vous voulez pas vous serrer l'un contre l'autre vraiment ? Bah, vous êtes impressionnés, ça se comprend bien, va ! Hein, c'est pas tous les jours qu'on se marie ! »

Tout ce bagout l'intimide davantage. Elle n'a vraiment pas besoin de tout ça, ça la met mal à l'aise. C'est déjà pas commode de se marier en fait, tout ce monde, toute cette attention, être au milieu de tout. Elle ne s'y attendait pas. On n'a pas l'habitude. Elle pensait être plus à la fête, et en fait non, pas ce matin en tout cas. Elle espère que ça va passer, elle aimerait profiter de ce jour unique, en profiter bien, ça serait dommage de ne pas en profiter.

« Ils sont tout brillant vos souliers dites-donc, ça, c'est des vrais souliers vernis, ça va bien ressortir. Bon alors maintenant, le marié il va passer son bras gauche dans le dos de sa belle. Voilà, la main sur la hanche de l'autre côté. Parfait. Eh, attention, on n'est pas encore à nuit ! Bien. Et la mariée, dans sa main gauche, elle prend son bouquet. Voilà. Il est tout blanc, on va bien le voir sur la robe. Voilà. Il faut juste le hausser presque à la hanche, à hauteur de là où il y a la main de monsieur. »

Elle suit les instructions, elle se sent gauche, le souffle court. Elle peine à trouver son aise avec toute cette comédie qu'il leur fait.

« Voilà, comme ça. Ah ben voilà les broches ! Tenez, Adèle, mettez-les directement aux deux revers gauches. Pour la mariée un peu sous la poitrine ».

Sa sœur s'approche en lui souriant, elle lui répond timidement. Elle saisit un mince morceau de tissu et y pique l'aiguille. L'épingle est tout en longueur, faite de quelques fleurs reliées aux tiges par un ruban papillon. Deux longs cordons pendent vers le bas avec, à leur extrémité, une petite faîne. C'est lui qui en a eu l'idée. L'ensemble est tout de blanc.

« Voilà, un peu plus bas, voilà, parfait. Et pour le marié sur le grand revers, en dessous de l'épaule. »

La sœur saisit la veste.

« Un petit peu plus haut, voilà. Parfait. On y est. Bon alors, maintenant le marié, Élie, ah ben on va s'appeler par les prénoms quand même ! Élie va prendre dans sa main droite la main droite de Sidonie, voilà, comme ça, devant vous. Élie vous tournez la paume vers le haut et Sidonie vous posez la vôtre dessus, paume contre paume. »

Ils obéissent aux consignes. Sa main froide rencontre la chaleur de son homme. Ça la rassure. Ça l'intimide aussi. La chaleur de l'homme, la chaleur de son corps, de sa peau. Elle n'ose plus bouger, la voix sans fin du photographe lui encombre la tête. Elle se raccroche à la présence de sa sœur, là, juste à côté.

« Voilà. On peut refermer un peu les doigts aussi. Parfait ! Bien, je crois qu'on y est. Je vérifie dans l'appareil. Approchez juste un tout petit peu encore, un tout petit peu. Voilà. Reprenez la pause comme tout à l'heure, attention au bouquet, les pieds rapprochés... Voilà ! Ne bougez plus. Allez un petit sourire pour la postérité ! Sur la photo des mariés, on a le droit ! »

Elle tire sur ses lèvres, crispée. Elle les étire à peine mais elle a l'impression de s'écarteler la bouche. Elle ne parvient pas à offrir plus, à se laisser aller et à être spontanée. Elle se raidit et elle devine que lui aussi, à côté d'elle.

« Parfait ! Impeccable ! Attention... Hop ! C'est fait ! Bougez pas tout de suite, on va en refaire une autre ! Allez, on remet ça, on se refait un beau sourire... Impeccable ! Hop ! C'est fait ! C'est dans la boîte ! Les mariés sont dans la boîte ! Beaux comme tout ! Vous verrez comme vous êtes beaux ! Allez, on va pouvoir ranger le tapis. À tout à l'heure pour la photo de la noce. Je vais préparer les tréteaux pendant la messe. J'aurai bien le temps. »

C'est pas terrible quand même cette paille qui sort du tapis, on dirait vraiment des paysans endimanchés pour la peine. Ils étaient gentils tous les deux, ah ça oui ils étaient beaux. Ses chaussures à elle brillaient beaucoup. Elles étaient râblées, complètement fermées et l'enserraient jusqu'en haut des chevilles. On ne découvrait pas ses pieds en ce temps-là, ni rien de la peau hormis le visage d'ailleurs. Ça a bien changé tout ça, elles ont vraiment l'air de grandes dames les mariées de nos jours. C'est plus pareil, on n'a plus peur de se découvrir. Oui, ça a bien changé.

Sa longue robe noire, très simple, partait des chaussures et remontait jusqu'aux épaules, sans aucun pli. Elle couvrait tout ses bras, avec des manchettes un peu plus brillantes aux poignets. C'était Simonne, la couturière du bourg qui l'avait confectionnée. On faisait d'autres fois appel à elle, pour les habits du dimanche ou pour les fêtes. On était allé décider du modèle, du tissu, on avait pris les mesures. On voulait quelque chose de simple. Et puis de toute façon, on n'avait pas les moyens d'y mettre des mille et des cents. Ça restait une robe, même si c'était une robe de mariée. On gardait l'argent pour des choses plus importantes. Ça ne se gagnait pas comme ça l'argent, on y faisait attention.

Une ceinture, noire également, lui dessinait une belle taille, fine, au-dessus de hanches généreuses. C'est vrai qu'elle avait toujours été mince. C'était d'ailleurs pas forcément comme ça qu'on préférait les femmes par ici. On les aimait plus abondantes, plus costaudes, tenaces au sol, d'une stature qui semblait plus convenable à la vie qu'on menait. Mais elle, elle était mince. C'était comme ça après tout, on était comme on était, il fallait bien faire avec, et d'ailleurs ça ne l'avait pas empêchée de prendre toute sa part, et même plus, malheureusement, parce qu'il avait bien fallu après tout ça. Le haut de la robe était en deux pans qui se croisaient à la poitrine.

« On dirait que t'es en peignoir ! » qu'on lui avait dit une fois.

« En peignoir » ! Quand même ! C'est bien une robe de mariée que cette robe-là ! C'est vrai que c'est vraiment autre chose maintenant mais quand même, « en peignoir » !

Un mince tissu clair couvrait sa gorge. Ses cheveux courts étaient rassemblés sous un très fin voile blanc, presque transparent, cerclé d'une discrète couronne, qui effleurait ses épaules et s'envolait jusqu'au sol. Elle était belle ce jour-là, dans cette jolie tenue, oui elle était belle, elle pouvait bien le dire, avec son sourire timide. C'est vrai qu'il était discret ce sourire. Elle avait gardé les lèvres serrées, c'était pas un grand sourire comme on aurait pu le croire elle qui, pourtant, avait pensé l'offrir en grand. Avait-elle de nouveau été aussi belle ?

Et lui, dans son costume sombre, qu'il était beau aussi ! Il souriait un peu plus tout de même, la bouche presque entrouverte. Son pantalon tombait parfaitement sur ses chaussures, aussi brillantes que les siennes. Il avait les jambes fines, il était pas bien gros non plus. Sa veste descendait juste en dessous des hanches. Elle n'était pas fermée mais le veston en dessous, pour sa part, était bien serré d'une rangée de boutons, quasiment jusqu'au cou, comme sa robe à elle. N'en dépassait que le col d'une chemise blanche, orné d'un papillon, blanc lui aussi. Il était un peu plus grand qu'elle, pas de beaucoup, une demi-tête peut-être. Ses cheveux folâtraient un peu mais libéraient entièrement ses oreilles. C'était étonnant à bien y regarder comme il les avait assez grandes ses oreilles. On ne le remarquait pas trop comme ça mais là, sur la photo, on avait vraiment l'impression qu'elles étaient grandes. Elles devaient pourtant bien l'être pour que cela ressorte comme ça. Il paraissait plus fier que timide pour sa part. C'est vrai qu'il était un peu comme ça, et c'est ça aussi qui lui plaisait chez lui.

Elle porta sur eux un dernier regard. Ses pensées tournaient entre ce que ses yeux lui montraient et ce que sa mémoire lui servait, dans une ronde lente et floue de laquelle émergeaient tour à tour, en des instantanés limpides, la quiétude, la tendresse et les espoirs. Chaque image était une scène qui se rejouait sous ses yeux. C'était sa vie qui reprenait vie, c'était lui qui était là, c'était ce que cela aurait dû être.

Les mains reposèrent la photographie contre la précédente. Elles avaient été belles ces noces, ça, elles avaient été belles, ça avait été réussi, on en avait parlé longtemps, on s'en racontait les histoires, on en rigolait, on s'en échangeait des regards complices.

L'après avait été dans le droit de la fête. On s'était mis dans la maison et à l'ouvrage, tout simplement. On s'était retroussé les manches, y'avait rien d'autre à faire. C'est vrai qu'en ce temps-là on ne faisait pas toutes les suites comme aujourd'hui. On ne partait pas en voyage, c'était même pas une question. Il y avait le jour de la fête et puis, aussitôt après, le tous les jours reprenait le dessus. Oh, on n'en était pas malheureux pour autant. On se contentait de peu et, tout l'un dans l'autre, on n'avait pas l'impression de se priver plus que ça, on n'avait pas besoin de grand-chose pour être bien, juste de ce qu'on avait. Et ce qu'on avait, dame, ça ne poussait pas dans les arbres, ça sortait de terre tout au plus, et avec bien du mal encore, c'était rien de plus que ce que la terre voulait bien donner. On s'en sortait d'année en année. Rien de plus. Et rien de moins. On était auprès les uns des autres et c'était déjà beaucoup après tout. C'était pas comme maintenant où tout le monde va s'égailler, chacun dans son coin. Tous ensemble pour travailler, tous ensemble pour s'entraider, tous ensemble pour se visiter, tous ensemble pour s'égayer. C'était pas compliqué et on était bien comme ça. S'en sortir d'abord, avec les moyens du bord, s'arranger du ciel. Ça, le ciel, c'était encore lui qui tenait les rênes. Alors on s'organisait. Évidemment, lui était plus à se démener dehors. Il n'y avait pas encore toute la mécanique, fallait payer de son corps, on n'avait rien d'autre. Oui, il fallait payer de son corps pour être payé en retour et ça revenait chaque matin, sans écart, sans sursis ni détour. Et puis il y avait tout le reste. Le petit élevage, à nourrir, à tuer, à dépecer, à vider, pour soi ou pour vendre. La cuisine à faire tout le jour, le café au lever, dix heures, le dîner, la collation, le souper et puis, encore après, les châtaignes, la bouillie ou un encas quelconque à la veillée. Pour ça, ça mangeait avec toutes ces forces qu'étaient remuées, ça pour manger on mangeait. Elle avait l'impression d'être mariée à ses fourneaux tellement ils lui mangeaient ses journées. Et puis la lavée, une fois par semaine, là-bas, en contrebas de la maison, en bas des pommiers, à la mare, à genoux au bord de l'eau, par tous les temps, fondue par l'été ou mordue par le gel. C'était rarement drôle comme corvée. Mais bon, il fallait bien que ça se fasse, on n'avait pas une garde-robe à rallonge, loin de là, et on travaillait pas propre, ni par-dessus ni par en-dessous. Avec ça, il y avait aussi le jardin qui donnait toute l'année, à condition de s'en inquiéter. Et les fruits à ramasser, le cidre à presser, la goutte à bouillir. Et puis le cochon à tuer.

Ah ça, le cochon, c'était une fête aussi ! Les fourneaux flambaient pendant des semaines pour gaver les bocaux et rhabiller les séchoirs. Tout y passait, rien n'en restait, rien de rien. Jambons, saucisses, andouilles, terrines, boudins, lard, conserves et toute la gamme. Tout ça faisait sa part de viande et de gras, c'est-à-dire beaucoup, pour se refaire le sang comme il fallait. Ça faisait son année de forces et on pouvait voir venir. C'était une fête mais elle n'aimait pas ce moment de tuer la bête. C'était une fête qui commençait par un mort. C'était pas comme une poule ou un lapin, le cochon, c'était plus proche de soi, on finissait par s'y attacher à s'en occuper comme on faisait, à le visiter, à le nourrir, à le gratouiller quand on pouvait. Il nous renvoyait quelque chose, le cochon, y'avait comme un lien qui se faisait, oh pas des sentiments comme parfois avec les vaches, ça, c'était encore autre chose, mais comme un attachement quand même, un vécu ensemble. Elle n'arrivait pas à le voir comme du manger en vie, c'était pas comme Élie qui ne s'en occupait guère. Alors, quand le jour approchait elle commençait à ressentir ce petit pincement de regret, ce petit acompte sur un petit deuil dont elle serait la cause autant que la victime. Et puis elle avait la charge du seau, aux premières loges de la tuerie. Déjà, quand ils rentraient tous dans la soue et que la bête, tout de suite acculée, comprenait que c'était pas pour son bien et se mettait à couiner si coupant, sans presque s'arrêter, déjà là elle n'arrivait pas à s'y faire. Mais quand la lutte s'engageait, féroce, dangereuse, à la merci d'un tranchant de gueule, pour l'attraper, l'immobiliser et la suspendre par l'arrière, quand la poussée de cris clouait tout et que la mêlée s'affolait, alors elle restait là, en retrait, abêtie, hébétée, son seau à la main, à se demander ce qu'elle était bien en train de faire, à savoir qu'elle ne pouvait rien y faire et qu'il fallait bien le faire, à craindre pour eux autant que pour l'animal, à vouloir que tout se passe bien mais à savoir que cela finirait mal, forcément mal, pour l'un au moins et peut-être même pour d'autres, car il y aurait un mort, désigné, vaincu d'avance et dont c'était le sort, un mort pour qu'on en vive. Alors, quand accroupie enfin à la tête qui pendait et se résignait, elle voyait la lame piquer le cou, glisser sans effort dans la chair grasse, le soulagement le disputait à la giclée de sang, ce sang fort et moussant qui se jetait dans son seau, souillait ses mains, tachait son tablier et mouchetait même son visage. Et l'odeur. L'odeur âcre et chaude de la vie qui s'en va, qu'elle prenait, cette odeur qu'elle n'aimait pas et à laquelle elle ne s'habituait pas. Non elle n'aimait pas ça ce moment-là. Il fallait bien mais elle n'aimait pas.

Cependant, au bout du compte, tout mis l'un dans l'autre, dans ce grand bouquet de sensations, des plus aimables au moins plaisantes, on était bien, tout simplement. L'amour et la terre s'agrégeaient, s'enrichissaient et se fertilisaient. Alors forcément, il était rapidement venu un petit, tout juste un an après, un petit gars, la descendance. Germain, on l'avait appelé. C'était joli Germain. C'est elle qui avait eu l'idée et il avait été d'accord.

Elle remarqua les rais de lumière qui venaient frapper ses jambes, la boîte et les images à l'intérieur. Le soleil, plus franc, posait ses premières forces sur elle. Il n'était pas seul. Comme à chaque fois elle sentait aussi renaître cette délicieuse fièvre, cette autre ardeur, émise par un autre astre, portée par d'autres traits, à travers ses yeux, à travers son corps, par-devers ces coins d'ombres qui, telle la cendre, couvaient une braise offerte à un souffle, pour qui le saurait. Et il le savait bien lui… Il l'avait toujours su… Et il savait encore, sûr qu'il le savait bien encore. Il avait été le seul à savoir. Peut-être d'ailleurs avait-elle voulu qu'il le soit, peut-être avait-elle interdit à toute autre de soulever ces cendres. Ses cendres. Leurs cendres. Elle ne savait pas, et après tout était-ce important ? Il était là, il était toujours là, il avait sans cesse été là. Il n'était jamais parti, non, il n'était jamais parti, alors à quoi bon, pourquoi se tourmenter, pourquoi se torturer, pourquoi tourner tout cela dans sa tête, pourquoi ne pas continuer à simplement profiter de lui, là, maintenant ? Autant en profiter. Autant profiter des personnes qu'on aime tant qu'elles sont là, après c'est trop tard, après on mijote les regrets dans leur palette de gris, après on n'a que ses yeux pour pleurer. Combien de tours on entend les si j'avais su, combien de gens on voit dans le chagrin du c'est plus possible, là, partout, tout autour, tous ces tas de cendres lourdes, humides, sous lesquelles plus rien ne brûle, plus rien ne chauffe, tout juste bonnes à se perdre au vent ? Il était là lui, il n'était pas parti, elle avait su le retenir.

Et qu'il était beau encore, là, entre ses doigts. À nouveau il vibrait, fier, le regard tendu, au loin, tout au loin, là-bas, la moustache bien taillée, debout, droit, fort, le pied gauche en éclaireur. Appuyé à une desserte blanche, il toisait des boiseries fardées de draps, une main sur deux gros livres et l'autre le long du corps. Oui, s'il y avait une bonne chose de sûre c'est qu'il était beau.

Et l'uniforme avec ça, il était beau aussi cet uniforme. Ses brodequins ajustés, ses bandes bien roulées, bien serrées sur ses mollets, son large pantalon clair retroussé aux genoux, sa longue capote boutonnée tout du long qui lui tombait aux jambes, relevée devant à chaque côté. Et avec ça les deux poches à rabat sur la poitrine, le large col marqué du numéro du régiment, cent vingt-huit, comme le képi, les épaulettes altières. Ça faisait un beau soldat, il n'y avait pas de doute. Mais quelle idée quand même ces livres… Est-ce qu'on allait se battre avec des livres ? Qui avait eu cette idée de lui mettre des livres sous la main ? Lui qui ne lisait jamais, et elle non plus, on avait autre chose à faire, et quand on n'en aurait plus on aurait dormi dessus. On se demande bien quels livres d'ailleurs, on ne saura jamais.

Ah voilà, il est bien là aussi, avec son groupe, tous les sept, de vrais soldats, avec leurs fusils et leurs cartouchières, au premier rang, le genou droit au sol, son Lebel pointé vers le ciel. Ils sont braves tous, ils n'ont pas peur, ils sont fiers, pas crânes, simplement fiers, résolus, décidés, prêts. Tranquilles même on dirait. Ah, c'est drôle ça, ils sont sur un tas de paille eux aussi, comme eux le jour des noces ! Mais sans tapis cette fois. Le mur de briques derrière a l'air solide. Tous se cramponnent à l'objectif, les trois devant, accroupis, et les quatre debout, juste derrière. Tous, avec leur képi sur la tête. Le chef, là, on le reconnaît, son manteau est plus foncé. C'était quoi leurs noms déjà. Ah... sacrée mémoire... Il avait bien dû en parler et lui montrer, mais là... Qu'est-ce qu'ils sont devenus, tous ceux-là aussi, qu'étaient avec lui ? Combien s'en sont tirés ? Quelle misère tout ça, quelle misère ça avait été. Tous ces hommes. Qu'est-ce qu'il en était parti... Ceux-là on ne les connaissait pas avant mais ils avaient tous des parents eux aussi, une fiancée, une femme, des enfants, des frères, des sœurs. Comme lui.

Ils sont tous beaux en fait comme ça. C'est lui le plus beau mais ils sont tous beaux. Ça, c'était des hommes. Ils avaient rien demandé mais ils étaient là quand même. Tiens, c'est marrant cet outil là-bas, derrière, accroché au mur. Ça pouvait bien être une raclette. Y'en a un qu'a un cigare on dirait, là, derrière. Ah mais dame, qu'est-ce que c'était que ça ? Les trois devant, ils avaient le pantalon qui baillait entre les jambes ! C'était bien la première fois qu'elle remarquait ça ! Même lui ! Y'avait pas de boutons à ces pantalons ? C'était la meilleure celle-là, tout ce temps qu'était passé sans s'en apercevoir ! Comme quoi, elle croyait les connaître par cœur ces images, mais elle en découvrait tout le temps !

Elles étaient belles ces photos jaunies, ça leur donnait un air, ça faisait vieux mais pour elle ça faisait jeune, peut-être parce que c'était les photos de quand elle l'était, jeune. Jeunes mariés. Jeune soldat. Jeune maman.

Elle reposa celle-ci à son tour. Au dos, rien de manuscrit, seulement les inscriptions CARTE POSTALE et en dessous deux colonnes, l'une pour « Correspondance », l'autre pour « Adresse ». Le long de la tranche, elle parvenait encore à déchiffrer « R. Guilleminot, Boespflug et Cie – Paris. » Ça ne lui disait rien.

À l'étage, Chantal avait allumé son inséparable transistor et s'activait tout juste. Elle avait d'abord fait le tour des pièces pour évaluer l'ampleur de la tâche qui, tout compte fait, lui paraissait moins que prévue. Cette partie de la maison restait peu fréquentée et ne servait plus qu'à héberger la famille de passage, notamment sa tante Suzanne, la sœur cadette de son père Germain, et ses deux cousines.

Suzanne avait épousé un employé des chemins de fer et, au fil des affectations de celui-ci, ils s'étaient finalement installés à presque deux cents kilomètres de là. Ce n'était pas encore si loin, cependant c'était aussi la première fois que, dans la famille, un enfant s'était éloigné ainsi et avait choisi un autre destin, fût-ce par alliance. Cette nouveauté, sans être perçue comme une révolution, avait imperceptiblement été comme un petit événement, le signe d'une mutation en cours et l'annonce d'une époque nouvelle. On avait balancé entre la nostalgie de ce qui s'étiolait, que l'on avait toujours connu et qui faisait ce que l'on était, et l'espoir, aussi, de voir s'élargir l'avenir pour les générations qui viendraient. Certes, ce n'était plus ce que cela avait été, la terre. On n'y était plus arc-bouté, plié sous la tâche, on s'était jeté sur le progrès en se disant que ça tirerait la vie vers le haut. Mais ce n'était pas encore ça. Même à y être heureux la terre retenait encore, longe invisible qui empêchait et rappelait, dans cette étrange impression d'avancer et, cependant, de toujours revenir au point de départ.

Chantal voyait surtout cela dans son père, elle ne voyait même que cela, ce qu'elle percevait comme une vie sous camisole dont on acceptait les liens invisibles par habitude ou renoncement, et qui lui brûlait les yeux. Il avait pris la suite de sa mère. Ça s'était fait comme ça, une pente comme des rails, une glissée naturelle, une douce lancée qu'on laisse aller, sans qu'elle eût jamais bien compris ce qui avait été la part du choix et celle des questions qu'on ne se pose pas. C'est peut-être bien ça, d'ailleurs, qui avait entrouvert une voie à sa tante, la continuation assurée, la transmission soulagée, cette possibilité de croire que tout ne se dissoudrait pas dans un monde qu'on discernait mal. Pour sa part, elle y voyait une liberté conditionnée, une liberté dans un enclos, le grand enclos des années, et puis celui des saisons, et puis celui des jours. Des poupées russes d'enclos, bien enchâssés les uns dans les autres et toujours un pour cacher l'autre, dans lesquels on faisait ce qu'on voulait mais qui vous tenaient bien serré. Les plantes avaient leurs raisons, les bêtes leurs exigences, la mécanique n'y faisait rien, et la chimie non plus.

Elle voyait surtout, tout autour, le monde qui pétillait, qui pétillait enfin et qui pétillait fort, dans les fêtes, en ville, à la télévision, à la radio, partout, partout où c'était possible, et c'était possible partout, dans tout ce qui faisait sa vie. Elle voyait les barrières tomber, les liens se défaire, les entraves s'effacer et les possibles enfler. Elle voyait la liberté s'affirmer, l'existence s'imposer, les choix se proposer, les grandes soifs et les grands appétits. Elle sentait les secousses, les poutres qui craquaient, elle voyait les fissures qui couraient et les jours qui perçaient dans les murs du passé. Le monde exigeait d'être fête et c'était ça sa vie, pas les sorties qui ne se font pas, les vacances où on ne part pas et surtout pas une suite en héritage. Son destin elle se le ferait, une vie bien à elle, façonnée de ses choix et tracée de sa route. Elle serait son propre point de départ et elle irait à sa propre arrivée.

Elle veut des virées à la mer, des tours de moto, des nuits sous une tente, un bikini, non deux, du soleil l'été, les marques sur sa peau, des soirs sans coucher, des matins éreintés, des chansons à crier, des films à rire, et aussi pour pleurer, des fois, des copines pour glousser, des garçons à promener, des robes à changer, des jupes bien trop courtes, des pantalons aussi, plein de pantalons. Elle veut du rouge aux lèvres, du rouge bien rouge, pas du coincé, du rouge pour plaire, pour embrasser, elle veut du vent dans les cheveux, elle veut Paris, faire de la luge, rater des ricochets, en réussir aussi. Elle veut des zincs, de la bière, du juke-box et des flippers, elle veut un petit chez elle, qui sera vraiment chez elle, une voiture peut-être, elle veut monter dans un avion, téléphoner des heures, des talons qui font mal, des jambes à rallonge, des bonbons, Piccadilly. Elle veut des torrents clairs, des éclats de peur, des fous rires, des cathédrales, des miettes dans son lit, des quarante-cinq tours, des esquimaux qui coulent, elle veut des auto-tamponneuses, des bouquets au vainqueur, des caramels aux dents, des baisers de conscrits, des courriers interdits, des Corneille qui flambent, des Pascal même peut-être, Capri. Elle veut un peignoir en soie, bien ouvert par devant, un VéloSolex, et puis non une Vespa, des vedettes en gala, pique-niquer, des journées sur des routes, rouler, simplement rouler, des lunettes en écailles, du pain aux figues, Hervé Vilard. Elle veut du mal aux pieds sur les galets, des ongles bien faits, l'amour au bout des doigts, des réveils à midi, des messes dans son lit, un caniche, elle veut des jours qui se brûlent, des années qui défilent, du chewing-gum, un chapeau de Sainte Catherine, des cigarettes mentholées, Saint-Tropez, du chocolat au lait. Elle veut des ronds sur ses murs, oranges et jaunes et noirs, des jours de congés, un Polaroïd, des lacs à la rame, pêcher, des châteaux, du nougat, elle veut rêver, ne plus rêver, un cendrier qui tourne, des soirées sans demain, des pieds de fée, s'ennuyer, des bottes. Des cappuccinos. Et des ristrettos.

Et puis elle veut danser, aller au bal, en discothèque, elle veut danser, danser, danser, danser encore, danser quand elle veut, danser où elle veut, et elle le veut, maintenant, elle veut danser sa vie, ce qu'elle en fera, ses envies, les siennes et aucune autre, elle veut danser tout ça, sans attendre, danser l'instant et tous les autres, comme ils lui viennent, au hasard, dans leur joli désordre, le désordre un peu fou, il faut être un peu fou, non beaucoup, le désordre dans sa tête, elle veut danser sur la chanson de ses pensées, qui chantent sur la musique de la radio. Alors elle se met à danser, elle danse avec le balai, elle le prend tout contre elle, elle l'écarte, elle l'appelle, le fait tourner à gauche, le rattrape par la droite, le fait passer et repasser, sous ses bras, entre ses jambes, par-dessus elle. Il danse bien ce balai, il danse vraiment bien, il la fait comblée, il l'a fait voler, et il nettoie tout et il fait tout plus clair, les poussières et demain. Surtout demain.

Elle sait ce qu'elle veut, avancer, profiter, jouir, elle ne veut pas de questions, ne plus s'en poser, elle veut du libre-cours et courir, courir, courir, comme une eau de printemps. Elle ne veut plus non plus en poser, des questions, ces questions sans réponses, ces questions à silences. Pourquoi donc son père s'acharnait-il comme ça, s'usait-il autant, dans ce métier qui n'était plus pour lui, avec son corps meurtri ? Qu'est-ce qui le tenait là, qu'est-ce qui le retenait, pourquoi se priver de tout quand on pouvait vivre mieux, sans faire tous ces efforts ? Il n'en disait rien. Ce n'était pas un secret, pas vraiment, on savait un peu, plus ou moins, ça s'évoquait, parfois, au coin d'une discussion, à l'ombre d'une allusion. Mais ça s'arrêtait là. On n'en parlait pas, il fallait que ce soit lui et ça ne venait pas.

Cependant, ce qu'elle savait, c'est que pour elle il ne retiendrait rien. Il n'y aurait pas de liens. Sa liberté, elle n'avait pas eu besoin de la prendre, il lui avait offerte et ça n'avait pas de prix. Il l'avait donnée, déjà, à ses deux sœurs aînées. Trois filles. Ce n'était pas évident. La disette de mâle hypothéquait une forme d'avenir mais il savait aussi que l'avenir n'était pas au passé et que ses raisons, à lui, ne sauraient être les leurs. Cela aussi, elle savait qu'il l'avait compris et que, par-delà ses silences, il avait l'amour et l'intelligence de remiser en lui ce qui ne faisait plus sens, plus sens pour elles, plus sens tout court peut-être même.

Elle pensait à tout cela, à toutes ces portes qui s'ouvraient. Et elle dansait.

Ses doigts saisirent la carte suivante, en haut d'une pile qui désormais s'offrait à elle. Celle-ci avait des couleurs, par endroits, à la façon de l'époque, sur une base noir et blanc.

Au premier plan un soldat, anonyme, dans la tenue d'entrée en guerre, pantalon garance et capote bleue. Assis sur un coin de table, portant casque doré à crinière et à houppe grenat sur l'arrière, il avait un bouquet posé sur la jambe droite et un autre dans la main gauche. Il masquait sa bouche, comme pour souffler en secret. Au fond était une jeune femme, en robe bleu clair, les cheveux blonds mis en plis et tenus par un bandeau rouge. Elle portait aussi un riche bouquet de roses et ravissait avec malice, la bouche hospitalière. Entre eux se déroulait un dortoir, enfilade de lits parfaitement au carré et, au mur, de hautes étagères au contenu douteux. Tout en bas une inscription, en encre bleu foncé : « Mon baiser, dans l'azur immense, Trouvera celle à qui je pense ! » Signé Fauvette 1411.

Elle la retourna et lut.

Saint Cloud, le 19 décembre 1913
Petite femme, Je t'écris pour te dire que je n'irais pas te voir dimanche prochain. C'est les anciens qui vont en permission a Noël et les bleus iront au 1er de l'an. Pour l'argent, je n'en manque pas encore j'ai encore 15 francs j'espère en avoir assez pour faire mon voyage si j'en ait pas assez je te le dirai. J'ai fait la soupe et la chambre cette semaine pour un ancien il ma donner 1 franc pour le faire. Je suis toujours en bonne santé et

55

j'espère que ma lettre te trouve tous de même. Tu me dit que la mère Colleville et toujours en peine de moi je lui ait envoyé une carte aussi cette semaine. Je vous embrase tous deux.

Elle soupira.

Ça avait été la première contrariété, cette histoire de permission de Noël, avant même le début de la guerre. Ça oui, ça avait été bien embêtant. Le petit était bébé et c'est vrai qu'on aurait bien aimé passer un premier Noël tous ensemble. Oh, Noël en ce temps-là c'était pas comme alors. Y'avait pas tous ces cadeaux, c'était plus simple, c'était surtout une grande occasion de se retrouver tous ensemble, voilà. Pour la veillée, pas de complication, on allait à la messe à minuit, à pied ou en charrette, mais souvent à pied car on ne logeait pas trop loin, ça évitait de parer l'attelage. Alors on marchait dans le noir, en faisant attention, sur le bas-côté de la route. Il y avait eu des fois où il avait fait un maudit froid et, cette fois-là, ça avait été les jours où s'était revenu au gel, alors qu'il avait fait si doux l'automne.

Elle ne pouvait pas l'oublier, ce Noël-là. L'hiver se radinait plein pot et il n'était pas là. Il n'avait pas eu l'autorisation, pour le Nouvel An uniquement. Il avait neigé à plein temps juste avant ce dernier d'ailleurs et on avait bien cru qu'il ne pourrait pas revenir non plus, mais bon, c'était rien de pareil le Nouvel An, on ne le fêtait pas, c'était un soir comme un autre. Et puis le lendemain, le jour de Noël, on faisait banquet en grand, toute la famille, même si on se levait pareil avec les poules. Il fallait bien soigner les bêtes, ça ne changeait pas. Pour les femmes, c'était la traite.

On avait fait comme d'habitude. On avait tué et préparé une dinde, et tout le reste avec ça. Les femmes s'étaient affairées, elle s'en souvenait bien, mais c'est ça, il n'était pas rentré.

La fouée de grosses bûches crépite dans la cheminée. Le fourneau carbure en accord. Ils étouffent l'air.

On parle fort, on se déploie, on se répand. Tout le monde est là, à part lui. Elle porte son regard autour de la table. Oui, tout le monde. Alors elle se lève souvent, elle débarrasse, surveille les cuissons, lave la vaisselle. Elle accable ses mains pour ne pas y penser. Que fait-il, lui, là-bas ? S'amuse-t-il quand même ? Pense-t-il à elle ou est-il à l'aise avec ses camarades ? Il n'est pas là. Il lui manque. Il y a aussi le petit qui lui procure, le pauvre, un malaise, une sensation idiote, elle ne sait pas. Elle s'accuse d'indifférence, ploie de contrition et se charge de tous les maux. La ronflure autour d'elle la saoule et l'écrase. Elle essaie bien de badiner, elle y arrive parfois, mais elle sait que sa bouche ment, qu'elle truande, qu'elle larcine le bonheur. Elle aimerait qu'il soit là, à côté d'elle, rien d'autre. Elle aimerait irradier, en grand, et rire même, pencher sa tête sur son épaule, reconnaître son bras sur ses reins. Elle aimerait suer cette autre fournaise, être le tapage, elle aimerait que les odeurs lui chavirent les sens, lui chancellent le corps, elle aimerait que le petit ne soit pas qu'une pensée, qu'une ressemblance, encore moins une résurgence.

Elle aimerait mais cela n'y fait rien. Elle n'y arrive pas. Ils peuvent bien essayer, la consoler, la rassurer, l'entraîner, elle ne peut pas être là s'il n'y est pas, pas comme ils voudraient et pas comme elle aurait voulu. Ce qu'elle aurait voulu grisaille tout, les couleurs, les saveurs et les idées. Il n'y a que lui qui pourrait. Ils peuvent bien s'y mettre à tous, ils peuvent bien s'y entendre, toutes leurs présences accolées ne font pas son à-côté. Alors elle patiente, elle aide le temps, elle pousse les heures et se dit qu'enfin le soir sera plus vrai.

Ça, ça avait été un drôle de Noël, pas gai, pas vraiment triste non plus, pas comme d'habitude, pas comme on aurait aimé. Voilà, c'était comme ça, il fallait l'accepter, c'était du passé, mais bon, elle s'en souvenait de ce Noël, le premier sans lui après tout, c'est ça, le premier sans lui.

Cependant, c'était passé, il avait bien fallu digérer, y'en aurait d'autres des Noëls, on n'en manquerait pas, ça revient tous les ans, on se rattraperait, on en ferait pour celui-là et on ne s'en souviendrait plus. C'était ce qu'on se disait et puis lui il avait l'air d'en prendre son parti, c'est vrai qu'il était plus comme ça. Aussi, ça avait l'air de bien se passer son temps parti soldat, pas trop enquiquiné, on pensait à quand il reviendrait et en attendant il leur écrivait.

Paris, le 29 mai 1914
Ma petite femme,
Je t'écris pour te dire que je ne suis pas sure si je vais avoir mes 48 heures si je les ait je ne sait pas s'y je pourrait arrive le soir ou le dimanche matin mais je ferai mon possible pour arriver le soir si je n'arive pas le soir ne vient pas me chercher le matin je resterait à Conde je me trouverait a la messe de 7 h et s'y je n'y suis pas ne m'attends pas. S'y j'y vais cela sera en grande tenue le sabre le casque les souliers les guetes et les esprons toujours en bonne santé. Gros baisers à tous deux.

Ah ça, on pouvait bien dire que c'était son genre la rigolade ! Il était jamais le dernier quand ça venait à s'amuser et il en fallait du rire car c'est ça aussi qui rendait tout supportable. Alors il envoyait parfois des cartes humoristiques, comme celle-là, pas toujours très fines, et même rarement, des cartes avec de l'homme dedans, de l'uniforme et de l'odeur de chambrée, des cartes qui sentaient fort l'ennui et les verres à la suite, et la camaraderie aussi. En haut, elle lisait « Nos sonneries : l'extinction des feux ! », et elle voyait six soldats au coucher, dont l'un soulevait sa chemise et soufflait la chandelle d'une grâce de postérieur. Les dialogues soutenaient en chœur, qu'elle se plaisait à relire sans se priver de sourire.

Ça devenait pénible ces histoires de permissions. Déjà que c'était mangé par la route, il fallait en plus que ce soit rien de sûr. Ça, s'il y avait quelque chose de guère sûr c'était bien ça. Et il ne pouvait pas prévenir facilement, il fallait écrire, ça prenait du temps. On peut dire que c'était pas commode. On ne savait pas. Il retournerait, il ne retournerait pas. Il savait toujours à moins une et à peine arrivé il fallait repartir, on n'avait pas le temps. Pour un peu qu'il y ait à faire, ici ou ailleurs, on ne se voyait guère au final. C'était sûrement pénible ces complications.

Recluse dans ses pensées, elle ne voyait pas le ciel s'affadir, dilué par ce voile qui suinte des sols humides, aux premières raideurs du soleil. Elle connaissait pourtant bien cet insidieux, imperceptible d'abord et qui, sournois, suffoque le bleu jusqu'à inhumer le ciel. Les vitres mettaient la sourdine, le jardin grisonnait, la rotonde déprimait, les graviers s'éteignaient. La couverture fanait ses fleurs et, dans la boîte, les cartes coulaient dans l'ombre.

C'est à l'été quatorze que tout avait changé. La frustration avait fait place à l'inquiétude. À compter de là ça ne plaisantait plus d'être soldat. Cette fois c'était la guerre, et il ne s'agissait plus de s'encanailler entre deux échappées chez soi. On ne savait plus d'ailleurs s'il y en aurait, des permissions. On craignait qu'il ne revienne plus du tout, tout simplement, ou alors mort, ou amoché. On ne pouvait pas se permettre un invalide, c'était pas pensable, pas dans des métiers comme ça. On avait peur, pour ça on avait peur. On regrettait le temps des retours trop courts et incertains quand ils n'étaient plus qu'espérés, celui de l'absence passagère, longue mais passagère. Ces tracas-là, on leur trouvait maintenant un goût bien doux, léger en bouche, une pointe d'acidité pour mieux marquer le fondant qu'on s'employait à vivre. Ah, quelle saleté tout ça... Qu'est-ce qu'il avait fallu remettre ça ? Encore une guerre. Elle la revoyait nette cette affiche. C'était en août elle s'en souvenait, le premier.

Les tomates sont belles, bien cannelées, c'est vrai pâlottes pour la plupart mais quelques-unes déjà bien mûres. Ce sont les premières de l'année, ça va réjouir tout le monde. Elle se courbe sur les plants, en cueille avec mesure, cependant leste et précise, puis les pose à ses pieds, dans un panier d'osier. Elle respire l'air de l'été, écoute le vol des insectes, elle boit le parfum des fleurs qui bordent les viettes, si droites et si propres, qu'elle use ses jours à râteler. C'est rassurant tout ce bel ordre. Elle voudrait humer la légèreté de la saison, malgré les champs qui demandent et lui qui n'est pas là. Elle tente de s'évader dans l'instant pour ne pas penser au présent, de se distraire de l'enfant qui pousse sans son père, de se satisfaire, de vivre ce qu'il y a à vivre. Elles sont grosses déjà ces tomates, on pourrait bien les farcir tiens, ça serait une bonne idée. On a du vieux pain. Il faudra ramasser un peu de persil, de l'ail et un oignon. Des papillons volent au-dessus des rangs, des taons placident, les abeilles engrossent les fleurs, les plants se propagent, se bedonnent, se déversent dans une orgie de verts et de couleurs. La nature éjacule. Elle jette un œil aux truches, aux pois, aux porets. La mâche se risque, l'oseille promet, la cive séduit, elle aura de quoi pour l'hiver. Elle essaie d'accueillir tout cela, de poser la bourriche de manque qui lui pèse sur le cœur. Elle voudrait la laisser là, dans un coin, avec ses outils qui lézardent, près des grades, s'en débarrasser et ne plus la retrouver, quand elle reviendra, demain, rituel quotidien. Oublier, ne plus y penser. Que c'est bon l'été pourtant, quand tout va bien. Elle en aime les travaux, oui elle les aime bien. Oh, ce n'est pas qu'ils sont plus simples que les autres, bien au contraire, mais voilà, c'est différent, on rentre le foin, on rentre les grains, on touche, enfin, le fruit de son mal. Et puis on s'amuse, on fait la fête, on mange, on boit, on chante, on se donne à l'accordéon, à la nuit tombée, quand l'air se fait plus frais. C'est fatiguant, c'est vrai, mais on est si bien qu'on ne la sent pas vraiment la fatigue. On se reposera plus tard, quand l'automne sera là.

Le chien l'a suivie, comme d'habitude. Il est là, sur le flanc, au soleil, assoupi, paisible, tout près d'elle. C'est l'été, c'est moelleux, c'est chaud. Jusqu'au moment où il se redresse, brusquement, en alerte.

« Ah mais vas-tu faire attention, tu roules dans les tomates, tu vas les coucher bon sang ! Recule donc ! »

Il est debout, les oreilles dressées, le regard fixe, tendu vers le bourg, là-bas, derrière les champs.

« Qu'est-ce qu'y a ? Qu'est-ce que t'entends comme ça ? Qu'est-ce qu'il se passe ? »

Elle se relève, regarde dans la même direction. Elle ne voit rien. Elle endure juste la fougue du soleil sur sa peau et sa brûlure dans les yeux. Alors elle porte une main en visière et sonde, elle aussi, au loin, le clocher au-dessus des haies. Elle ne voit rien, mais elle entend. Elle entend maintenant, elle entend ce qui agace le chien. Elle entend les cloches qui fracassent le ciel et chacun de leurs coups, si lointains, accourt pour lui battre la tête, la poitrine et tout le corps, comme une volée de poings. Son esprit se perd, tourne, vire, et vire, et vire. Elle ne voit plus, le chaos la prend, elle n'entend plus que ces cloches qui la chaudronnent, ces cloches qui semblent cognées en elle, formidables et terrifiantes. Elle se bouche les oreilles, elle n'en veut plus, elle ne veut plus entendre, rien, surtout pas ça, non, surtout pas ça, tout mais pas ça, n'importe quoi mais pas ça, mais c'est désormais son cœur qui bat ce tocsin, ce branle-bas qui la galope, la piétine et la cloue à l'instant. Alors elle se précipite à la maison, elle plante là son panier, sa cueillette, tout. Elle court vers un refuge, un refuge de silence. Non, ça ne peut pas être ça, ce n'est pas possible. Non. Ça ne peut pas être ça. Elle le refuse, elle le rejette, pas maintenant, ça ne peut pas être maintenant, pas pendant qu'il est soldat. Elle franchit le seuil, elle ne réfléchit plus, elle ne sait plus si elle est peur ou colère, elle n'est plus qu'une obsession, une idée fixe, elle veut savoir, être sûre, elle ne veut plus douter ni se douter, elle veut savoir, vraiment savoir. Elle n'a pas le choix, pas d'autre solution, elle attrape son fils, l'agrippe dans ses bras, et se jette sur la route. Elle se hâte, court par moments, trébuche parfois. Entravée par son long cotillon, elle s'empresse tant qu'elle peut, au bout de son souffle, aux confins de ses forces. Non, ça ne peut pas être ça. Ce n'est pas possible, non. Elle repousse d'y croire, mais s'agit-il encore de croire ? Elle sait bien au fond d'elle-même ce que cela dit, elle sait bien que sa vie titube et que ces cloches c'est la mort à leur porte.

Le bourg n'est pas loin. Elle y arrive épuisée, chancelante d'effort et d'angoisse. Une petite place, la mairie. Un attroupement déjà. Des hommes et des femmes. On s'agglutine au mur, on l'ausculte, on le dissèque, on l'éviscère des yeux. Des voix s'élèvent, d'autres se fondent en murmure. On cause, on se plaint, on s'en prend, on s'emporte, on se lamente. Elle s'approche. Ses poumons flambent, son cœur agonise, son crâne éclate. Elle ne pense qu'à ça, il n'y a que ça, cette pensée vissée, monstrueuse, exorbitante, qui gicle de partout et souille autour. Il n'y a que cette idée et l'enfer des cloches, dantesque, épouvantable. Elle joint le désordre. On se flanque, on se gluante, on s'entrave, on se pile, on se concasse dans une panade de corps. On se bouscule, on joue des coudes, on hasarde le reste, on veut se trouer un chemin, car on veut voir, on veut voir avec ses yeux. Elle aussi elle veut voir, elle aussi elle guerroie. Possédée, obsédée, elle ne voit pas encore, n'entend toujours rien, si ce n'est, au milieu du supplice, un mot, un mot qui revient, un mot qui l'assiège.

Mobilisation.

Mobilisation.

Mobilisation.

Générale.

Mobilisation générale.

Alors ce ne sont plus les cloches qui la roustent, c'est ce mot. Chacune de ses syllabes, chacune de ses lettres, chacun de ses sons vient la cogner. Les coups redoublent sur elle, dans leur bastonnade affolée. Il n'y a plus que cela.

Mobilisation.

Mobilisation générale.

Mobilisation.

Mobilisation.

Elle lutte, acharnée. Elle veut voir. De ses yeux. De ses yeux à elle. Elle se faufile, elle force sa brèche, elle creuse sa place. Elle y parvient. Alors elle voit. Elle voit ce placard au mur qui dégueule sa colle, immense. Elle ne voit que lui. Il ravage, il ravage tout, l'espace, ses yeux, sa tête, la cohue et même le bruit. Il déverse ses mots et emporte tout.

Tout en haut, en majuscules, s'enflent « ARMÉE DE TERRE ET ARMÉE DE MER ». Juste en dessous se croisent deux hampes, drapeaux martiaux. Cependant, elle ne voit que ces lettres qui hurlent au centre de l'affiche : « ORDRE DE MOBILISATION GÉNÉRALE ». Ces mots elle ne les entend plus. Ils sont en elles, lui criblent la vue et l'infestent entière, coulures de glace dans ses veines repliées. Elle a froid. Elle a l'impression que son sang déserte, se verse en terre à travers ses pieds figés. Elle a froid aussi de cette peau qui n'est plus là, dont elle craint qu'elle ne le soit avant longtemps et par malheur, même, avant jamais. Ses yeux naufragent. Dans un dernier effort, elle affronte la proclamation entière :

Par décret du Président de la République, la mobilisation des armées de terre et de mer est ordonnée, ainsi que la réquisition des animaux, voitures et harnais nécessaires au complément de ces armées. Tout Français soumis aux obligations militaires doit, sous peine d'être puni avec toute la rigueur des lois, obéir aux prescriptions du FASCICULE DE MOBILISATION (pages coloriées placées dans son livret). Sont visés par le présent ordre TOUS LES HOMMES non présents sous les Drapeaux et appartenant : 1° à l'ARMÉE DE TERRE y compris les TROUPES COLONIALES et les hommes des SERVICES AUXILIAIRES ; 2° à l'ARMÉE DE MER, y compris les INSCRITS MARITIMES et les ARMURIERS DE LA MARINE. Les Autorités civiles et militaires sont responsables de l'exécution du présent décret.

Concluent les cachets des Ministres de la Guerre et de la Marine, deux coups de grâce au ventre.

S'ils appellent tous les hommes, c'est qu'il ne reviendra pas. S'ils appellent tous les hommes, c'est que c'est la guerre. Si c'est la guerre, alors le pire est là, face à elle, à portée, à portée de pas de chance, d'imbéciles et de salauds. Si c'est la guerre alors il n'est plus simplement parti soldat, parti faire son régiment, si c'est la guerre il va faire la guerre, il peut être blessé, il peut être tué. Ils lui prennent, ils vont lui garder, ils ne lui rendront pas, ou alors quand ? Pour combien de temps on en a ? Et nous, comment on va faire toutes seules ? Comment on peut faire, là, pour s'occuper de tout, de la maison et des champs et des corvées ? Et les gamins ? Le petiot, comment je vais l'élever, moi, sans lui ?

Les questions carambolent. Elle est jonchée d'angoisses, devant ce mur, seule parmi tous ces autres, immobile dans sa vie qui tournoie, elle est là et la terre s'éventre sous ses pieds, s'apprête à les gober, elle et son existence, sans manières, avec ses gros doigts sales, dans sa grande bouche collante et un grand bruit de panse.

Ah ça oui, il était gravé ce jour-là, ciselé au burin dans le marbre de sa mémoire. Ça faisait bien depuis juin que ça tournait mauvais toutes ces affaires, de Yougoslavie, d'Autriche-Hongrie, d'Empereurs et d'Archiducs, qu'on se faisait du mouron, mais là, ça pissait du sang d'encre, ça trempait du noir et ça fouettait la mouise. On avait besoin qu'ils reviennent vite, il fallait pas que ça dure. C'est ce qu'ils disaient tous, que ça ne durerait pas, mais pendant ce temps-là c'était la guerre, et pour de bon encore. Et le petit qui commençait à marcher, dame, c'était pas possible qu'il soit pas là pour voir ça, il aurait été tellement fier. Et puis il y avait le pire, ah ça non, on ne voulait pas y penser au pire, c'était pas possible, c'était vraiment pas possible, on ne pouvait pas y penser, il ne fallait pas, non, il ne fallait pas.

Elle replongeait dans cette jeunesse dont l'après fut une longue traîne, un sillage qui peu à peu s'éteint derrière l'étrave. Elle égrenait les cartes, une à une, comme elle l'aurait fait des pétales d'une fleur, une de ces fleurs des champs qui avaient mis en couleurs sa vie. Chicorées, coquelicots, chèvrefeuilles, nigelles, pissenlits, mauves, pâquerettes, boutons d'or, cosmos, fumeterres, consoudes, camomilles, cirses, crocus, moutardes, gesses, colchiques, achillées. Du jaune, du rose, du rouge, de l'orange, de l'amarante, du violet, du clair, du foncé, du mélangé, touches de liesse qui relevaient le vert et soulevaient le gris, poussées de vie qui portaient aujourd'hui et souvenaient demain.

Et le bleu. Le bleuet. Elle l'aimait tant le bleuet, avec ses longs pétales clairs, fins qui, eux-mêmes, faisaient chacun comme une fleur et se pâmaient dans le violet des étamines. Il lui en avait offert tant de petits bouquets, l'été, à son retour chez eux. Il était si beau, ce bleu qui répondait à ceux du ciel et de son cœur. Il arrivait à la maison, rompu mais heureux, et il se redonnait à elle, et leurs yeux disaient tout ce que l'on garde dans ce pays taiseux. Quand il lui tendait sa petite cueillette, leurs mains lui tournaient un vase, chaud comme le sol d'été, rond comme l'herbe fraîche, moite comme le pré vert. Alors leurs lèvres en rajoutaient, s'épousaient pour se promettre à nouveau puis, par une petite coutume qu'elle s'était faite, elle mettait les fleurs dans un simple verre, au milieu de la table. Elles égayeraient quelque temps leur intérieur sombre.

C'est vrai qu'il faisait noir chez eux. La maison était minuscule alors, une sobre construction de granit apprêtée de jolies parcelles dont ils réglaient le fermage à une particule de Paris. Dépourvue d'étage, si ce n'est un grenier accessible par un escalier en bois au pignon, elle se recroquevillait au sol. Sur sa couche de pâte brune, dure au mal, elle embaumait la peine autant que la constance et semblait une lanterne posée-là, à la merci des vents furieux.

Elle se tenait dos à la route, en haut d'une terre en pente, une tranche d'herbe piquée de pommiers. Le bâtiment à bestiaux était en bas, à une centaine de mètres. On y descendait ainsi à travers les arbres, en longeant le poulailler, la cabane à lapins, une petite mare, l'écurie, bien à l'écart, et enfin la fumière. Devant se débondait la grande auge, ronde et pesante, matrone des pilaisons d'automne. C'était pareil une rude bâtisse de granit et d'ardoises. S'y trouvaient quelques granges, la porcherie et l'étable.

La partie gauche de la maison, quand on y faisait face, abritait une remise à outils. Y étaient également serrées bouteilles de vin, de cidre et de goutte. Quelques ustensiles pendaient aux pierres. L'habitation occupait l'autre moitié. Une porte à viquet y donnait accès, au bas grossi de panneaux de bois. Le battant supérieur était, pour sa part, ajouré de carreaux défendus par une ferronnerie rudimentaire, qui consentaient une maigre lumière sans rien laisser voir dedans. Au-dessus de la porte elle-même venait en renfort un haut jour. À gauche de la porte s'ouvrait l'unique fenêtre de cette façade, barrée de cinq tiges et flanquée de deux volets, l'ensemble d'un blanc réglé. C'était tout. Manœuvrant la poignée oblongue, il eût été naturel d'appréhender ce qui allait se découvrir.

Quand on entrait, l'obscurité saisissait en effet. On appréciait à la belle saison sa réserve de fraîcheur mais, à vrai dire, l'hiver c'était bien morne. Le seuil trébuchait une courte marche vers un sol de terre battue. Sur la droite s'alignaient les éléments de confort et de cuisine. On rencontrait d'abord le bûcher, puis la cheminée de briques, où reposaient quelques objets d'estime. Ensuite, jusqu'au fond, se bombaient le four et le fourneau, d'une seule masse de fonte, au-dessus desquels était la batterie de cuisine, casseroles, poêles et poêlons. À l'opposé de la porte, lui faisant face, nichait une petite fenêtre garnie de voiles blancs. Fille de l'ombre, de mesures quasi symboliques, elle abdiquait toute ambition dans la création d'un jour congru. Vis-à-vis du fourneau, une porte s'ouvrait sur le garde-manger. Le mur de gauche, quant à lui, était celui du mobilier, encore modeste à cette époque de leur ménage. Y siégeait l'armoire avec le trousseau qui la comblait, et une horloge sur pied dont la marqueterie semblait l'unique débauche du lieu. Le lourd balancier de cuivre, finement ciselé, imperturbable, scandait de son lent mouvement la course inépuisable du temps, chaque seconde, une à une, à l'infini, inexorable. À ce point de sa vie, cette existence sans lui, chacun de ces battements était une pique au corps, le claquement d'un coup de temps qui l'atteignait. Chaque intervalle était un vide, son absence, une suspension, un arrêt de son cœur, un fragment de rien, une miette de leur non eux. Tous les quarts d'heure, une sonnerie scellait cette demi-mort. Un coup pour le quart, deux pour la demi, trois pour le moins le quart. C'était un glas machinal, qui harcelait, torturait, lui souquait l'âme de son antienne, perpétuelle, inarrêtable, toute la journée et toute la nuit.

Enfin, dans l'angle à gauche de l'entrée, se dérobait leur chambre, la seule de la maison, claire de la fenêtre en façade.

Chambre nuptiale, chambre simplement nue désormais, nue de lui, nue d'eux, nue de leurs nuits autant que de leurs jours, nue de leurs étreintes et froide de leurs heures brûlantes.

Cassel – le jeudi 19 novembre 1914
Ma petite chérie,
J'ai reçu tes lettres qui étaient du 7 et du 8 novembre le 19 mais je n'en ait pas reçu d'autre. La dernière que j'ai reçu était daté du 27 septembre. Je n'ai pas reçu l'argent que tu me dit n'y le colis et pourtamps il y en a qui en ont reçu mais je n'ai rien. On porte le sac et le fusil et la bayonette on a déjà été dans les tranchées on a entendu les balles nous siffler aux oreilles mais il n'y en a pas eu de blessé n'y de mort. Il y a longtemps que je n'ai eut des nouvelles de Lemoine il doit être encore à cheval renvoit de ses nouvelles sy tu peut. Je suis toujours en bonne santé et j'espère que ma carte te trouve de même. Gros baisers à tous deux, ma chérie et mon fils.

Elle était bizarre cette carte. Il écrivait la mort qui sifflait son refrain, ce refrain en passant, ce refrain en filant, ce refrain qui moquait qu'on fût encore vie, pour pas beaucoup c'est sûr, pour pas longtemps peut-être, et la photo c'était une sorte de carnaval ou quelque chose comme ça. Ça lui avait fait drôle de recevoir une carte de carnaval depuis la mort. Peut-être aussi qu'il n'avait pas grand choix. Après tout, ça devait pas être simple tous les jours là-bas, c'est certain que ça devait pas être simple tous les jours.

Ça faisait comme une grande place, avec une foule, une sorte de procession. Il y avait des gens aux fenêtres, ça avait l'air gai, ils avaient l'air heureux. Il y avait un magasin, sur la gauche, la Leureele Blonde il s'appelait. Qu'est-ce que ça pouvait bien être ça, Leureelle ? Ça devait être des noms de ce pays-là, peut-être bien, elle ne savait pas. Au milieu du défilé, devant le magasin, il y avait deux grandes figures, un homme, qui lui rappelait les soldats romains de ses vieux livres d'écoles, et une femme, avec le même genre de coiffe. C'était assez impressionnant ces deux choses-là, si grandes au milieu de ce monde. On aurait dit qu'elles flottaient au-dessus des gens, portées par on ne sait quel courant, ou bien une plaine de têtes plantées de deux héros, tellement grands, tellement plus hauts. Sur l'autre bord s'imposait un édifice, masse de pierres agacée d'un clocheton. Tout au fond se détachaient des silhouettes blanches, comme des enfants de chœur.

« La sortie des Géants » ça s'appelait. Oui, ça lui avait fait bizarre cette carte. On avait l'habitude de profiter de l'image avant de lire, même si c'était vite fait parce qu'on était pressé des nouvelles. Mais l'image ça faisait déjà partie des nouvelles, ça disait où il était et ce qui se passait autour. Alors ce jour-là, quand elle avait vu la fête, ça lui avait ôté du poids, ça l'avait rassurée, un peu de tranquillité qui s'annonçait, elle s'en souvenait bien, ça lui avait fait des risées de bonheur qui lui frôlaient l'intérieur. Et puis elle l'avait retournée et elle avait lu. La douche froide comme on dit. Là, ça y était, c'était vraiment la guerre, et il pataugeait dedans, complètement, en plein dedans. Ça pour une tranquillité, c'était une belle tranquillité. Elle l'avait roté le bonheur.

Maintenant, il n'y a plus qu'en permission qu'on serait tranquille, loin de tout ça, près d'elle et du petit. Et puis, ça l'avait marquée aussi, ça commençait à se dire, dans le coin, les tués. Deux déjà, alors on pouvait bien battre du mauvais sang. C'était vraiment la guerre, ça commençait tout juste et on n'en voyait déjà plus le bout. Il ne fallait plus y penser, voilà, c'était mieux de ne pas y penser, mais comment voulez-vous ? Comment faire pour ne pas y penser ? C'était pas possible de ne pas y penser, c'était pas humain, non, c'était pas possible. Oui, alors qu'il était au front, il faisait encore plus obscur chez eux, obscur d'entre-deux, d'entre la vie et la mort, dans un présent en clair-obscur qu'aucun trait d'avenir ne parvenait à percer.

À l'issue de cette première incursion dans la nuit, dans les tréfonds des hommes et aux minces frontières de la vie, il était retourné bien à l'arrière et il avait, de nouveau, été cantonné un peu plus près de chez eux.

Elle s'en souvenait avec plaisir de cette période-là. Ça faisait tout de même du bien de le savoir en sécurité pour un moment. Surtout que c'était l'hiver et que, là-bas, c'était épouvantable, quelque chose d'impossible à dire. Même ceux qui y étaient n'essayaient pas. Malgré la saison ça mettait de l'été dans l'air, des arômes d'été, on avait le cœur plus léger, on était de cette humeur-là. Oh, c'était pas drôle pour autant, c'était de toute façon la guerre, avec tout ce qu'il y fallait et rien qui y manquait, mais on pouvait bien le dire, les jours étaient moins longs quand on n'avait pas peur, à chaque instant, de voir dans la cour le maire ou les gendarmes. On ne se risquait plus aux fenêtres tellement on craignait d'apercevoir, là-bas, leur approche blême de sale augure. On savait bien ce que ça voulait dire quand ils arrivaient, comme ça, sans qu'on y compte pour une idée ou pour une autre. On savait bien, ils n'avaient pas besoin de parler, on avait compris avant. Alors, tous les matins on priait pour que ça ne soit chez personne, et que si ça arrive malgré tout ce soit plutôt chez d'autres. Oui, on s'entre-aidait, mais c'est vrai que pour ces choses-là on pensait d'abord à soi et, après tout, on ne pouvait guère faire autrement, on n'avait pas le choix, il fallait en profiter d'être bien à son tour parce que ça pouvait bien aussi, un jour, être à son tour des sales nouvelles. Tant que son régiment logeait à Évreux, au moins, on était plus tranquille, on laissait les boches aux autres. Et puis pendant ce temps-là, c'était d'autres apparitions qu'il y avait dans la cour, bien plus plaisantes. Ah ça c'était autre chose ces apparitions-là, pour la peine c'était vraiment autre chose !

Derrière la fenêtre, le soleil avait légèrement repris le dessus sur les nuages, une timide trouée de bleu. De tièdes éclats blancs recommençaient à sonder les vitres. Elle ne s'en apercevait pas, tout comme elle ignorait la lueur qui ravivait la couverture, réchauffait ses mains et rallumait les images. Les poiriers poussaient leur vert frêle, les graviers entonnaient le soleil, la rotonde sculptait son ombre et rutilait son couvert.

La moiteur des bêtes dilate l'étable, à peine dégrossie en ce matin noir par une chandelle au mur, près de son poste de traite. Dehors l'air mord et la pluie coupe. Ses mains sont dégourdies alors qu'elle en termine. Elles ont retrouvé vie aux pis bouffis de lait. La dernière bête est soulagée, les ultimes jets crémeux sont dans la seille qu'elle cale entre ses jambes, culée sur son botte-cul. Elle se relève. Elle caresse le flanc de l'animal qui marmonne son foin et fouette gentiment l'air. C'est chaud, c'est soyeux, ça fait du bien sa main sur un corps. Elle s'attarde sur cette robe paisible, rassurante, elle l'effleure, avec bonté et lenteur, elle la promène sur tout le côté, sur l'échine, du cou jusqu'à la croupe, sur le haut des cuisses, puissantes, le long des jambes qui vibrent à son passage. Elle capture sa force, aspire son énergie, elle imprègne son calme et sa quiétude. Elle devine le sang qui court, le cœur qui bourdonne et le poitrail qui houle. Elle admire la vapeur qui monte du dos large et fait un rideau blanc devant la porte.

Alors elle pose sa tête contre la bête, au creux de l'épaule. D'abord son front, comme une supplique, comme pour envoler là les poids qu'elle porte, ces poids morts qui lui interdisent de vivre, le poids des morts, le poids de la mort, qui écrasent ses épaules comme un châle de plomb invisible mais si lourd. Elle supplie la paix, celle où on vit, pas celle où on repose. Elle implore le salut, celui des âmes, non pas celui aux armes. Elle avale l'odeur robuste qui l'engouffre par le nez et par le goût, s'empare de sa poitrine, alourdit son sang et infuse, loin, là-bas. Cette odeur cuivrée de corps, de cuir, de poils et de vigueur, la prend, conquiert le plus petit lopin de son être et s'invite au plus intime. Elle la sent se faire sève au creux de son ventre, elle sent l'effervescence gagner son corps, elle sent ce corps se tendre autant qu'il s'abandonne. Ses mains se crispent sur la bête, l'empoignent, ses doigts fourrent les muscles, elle les pétrit, elle les frictionne, elle les roule, fermes et souples. Elle tourne sa joue sur l'animal. Tout prolifère, ses seins assiègent l'omoplate, elle bouillonne ses sens et s'épanche de leur sarabande. Elle reste ainsi de longs instants, accrochée.

Combien dure cette étreinte ? Elle ne le sait pas. Cependant, il faut s'en détacher, il le faut. La vie doit faire place à la vie, celle de tous les jours, les transports faire retraite face aux nécessités. Et puis il y a le petiot, il est tout seul là-haut, il dort encore probablement, mais s'il se réveillait, s'il se trouvait seul dans la maison ? Oui, il le faut, il faut se détacher, sortir de là, remonter, reprendre le cours du jour, retourner à la tâche, reléguer les passions, les emmurer, vivantes s'il le faut, les étouffer, les bâillonner, les enchaîner, là-bas, tout au loin, tout au fond, les jeter dans ce puits où elle relègue tout, les oubliettes de son être. Alors, avec toute l'énergie et la volonté qui lui restent, elle s'arrache de ce corps. Elle n'a même plus la force de pleurer ses dernières larmes, des larmes de rage. Elles aussi, elle les exile, loin, très loin, le plus loin possible. Il ne faut pas, elle doit être forte, elle doit être à la hauteur. Pleurent-ils, eux, là-bas, quand ils crèvent de peur, de froid, de boue, avant, peut-être, de crever de mort ? Pleurent-ils ? Non ! Ils ne pleurent pas, ils ne pleurent pas, eux, alors elle ne doit pas pleurer, elle ne doit pas. Pourquoi pleurerait-elle si eux ne pleurent pas, pour quelle raison, de quel droit, de quelle lâcheté, de quelle faiblesse ? Elle doit être digne, digne de lui, il faut qu'il soit fier d'elle, il le faut, elle ne veut pas avoir envie de baisser la tête quand il viendra, elle veut pouvoir tenir son regard, se regarder dans le miroir de ses yeux. Alors elle ne doit pas pleurer, ni de tristesse, ni de manque, ni de rage, ni de peur, ni de découragement. De rien. Elle ne doit pleurer de rien.

Elle recule d'un pas, se détache, récupère les pots de lait. Elle se charge une dernière fois les poumons de l'étable, amas unique de bêtes, d'herbe, de paille et d'immondices. Elle décroche la chandelle, jette un dernier regard aux vaches, les réconforte. Il faut ressortir à présent. Il faut s'extraire de ce cocon, comme d'une couche molle un répugnant matin d'hiver. Il faut en sortir, retourner à la rudesse du dehors, au gel et à la solitude. Son fils va se réveiller, il ne faut pas tarder. Et puis il y a toute la besogne, qui la talonne, qui mangera sa journée, une fois de plus.

Elle tend la main vers la clenche, l'actionne, tire la porte. Le froid la percute. Elle l'affronte, tête en avant. Maudit temps. Elle sera bien mieux à s'occuper dans la maison. Elle a rentré bien assez de bois la veille pour le fourneau, et même pour une flambée si l'envie lui vient. Elle cuirait bien une teurgoule tiens, pourquoi se priver après tout ? L'idée de ces petits plaisirs lui donne la force de s'extirper. Une fois sortie, elle se retourne, verrouille, puis entame sa remontée, opiniâtre et terreuse, à travers les arbres qui luttent pareil au vent. Elle avance de son mieux, courbée pour mieux fendre le fer. Elle ne voit guère que ses sabots de bois. Elle retient les pots de ses mains dures, il ne faut pas les renverser. Il fait noir, le jour n'est pas encore levé quand bien même, au loin, sur l'horizon, une fine bande claire en fait l'annonce. Elle marche, elle remonte vers sa maison, là-bas, à pas de patience et d'abnégation. Ah c'est dur. Elle aimerait tant s'en passer de cet aller-retour, chaque matin, de si bonne heure. L'été elle y va certes de bon cœur, mais aux mauvais jours c'est pas la même chose. C'est le froid, c'est la pluie, c'est le vent, c'est la neige. Et puis le brouillard qui, parfois, laisse à peine voir les pieds. S'il y avait au moins la consolation de retrouver, là-haut, des bras pour la réconforter, la réchauffer, des yeux pour l'encourager. Mais la porte donnera sur une pièce opaque et vide, à peine adoucie par le fourneau qu'elle a rallumé avant de sortir. Oh, il y a bien leur enfant, c'est vrai que c'est une consolation, un baume sur son être endolori, une lueur dans ces jours si ternes. Mais voilà, s'il la console, il lui ressasse aussi l'absence, d'autant plus qu'il tire de plus en plus sur lui, malgré son très jeune âge encore. Elle pense à tout cela, elle rumine ces images qui tournent et retournent, lancinantes, qui trament les heures et que rien ou presque n'arrête, elle lutte de tout son corps et de toute son âme contre les vents contraires, vents du ciel comme vents des temps. Elle marche pour ne pas s'arrêter, elle se donne au froid pour ne plus penser, elle veut s'ensevelir à la tâche et mourir de fatigue, une bonne fatigue du corps qui emporte tout le reste et offre au sommeil une chance de la prendre, pour une fois.

Elle est à mi-chemin, elle a reconnu ce pommier, presque couché. Elle se redresse et fait une halte, quelques secondes pour rapiécer ses mains et récupérer, le souffle vif. Elle lève les yeux vers la maison. Elle est surprise, elle hésite, elle ajuste son regard maculé de froid. C'est pourtant bien ça, oui, c'est bien ça, il y a quelqu'un sur le pas de la porte, qui semble attendre qu'on lui ouvre. Elle sort un mouchoir et s'en essuie les yeux, le visage vers le sol, pour y voir vraiment clair. Chien de vent, c'est quand même quelque chose de nous faire pleurer comme ça, comme si on n'avait pas assez de raisons déjà. Elle relève la tête. Oui, elle en est sûre maintenant, c'est bien quelqu'un sur le pas de la porte. C'est un homme. Il porte un uniforme.

Les pommiers vrillent.

Elle ne sait où s'agripper. Elle va tomber.

Il y a un homme en uniforme, là-haut, devant la maison. Un homme en uniforme ! Non, ça ne peut pas être ça, ça ne peut pas être ça, non ! ça ne peut pas être son tour !

Elle panique. Elle ne veut plus le voir. Elle veut qu'il disparaisse, de sa vue, de sa vie, à jamais. Elle veut qu'il parte et qu'il ne revienne pas, surtout pas ! Qu'il s'en aille ! Qu'il décampe ! Qu'il ne mette plus les pieds ici, jamais, plus jamais ! Qu'il parte loin, très loin, que la terre l'engloutisse et qu'elle ne le revoie plus, même au ciel, même en enfer, et surtout pas sur Terre ! Qu'il se volatilise et que, de son existence entière, elle ne le revoit pas !

Elle est là, debout, tétanisée, incapable du moindre geste ni du moindre son, incapable de rien, de respirer à peine, suspendue. Son corps n'est plus qu'un brasier de glace qui la fige comme un gisant de marbre, un spectre livide et violâtre. Ses yeux, transparents, laissent voir le désespoir qui lacère, qui lacère, qui lacère. Elle n'a plus la force que de haïr, haïr cet homme qui est là, bien droit, comme une pique, comme un pieu, altier même, qui porte si haut quand tout s'effondre, quand il n'y a plus de bas, quand la chute est sans fond, océan de vertige, marée de nausée, à la porte de sa maison, sur le seuil de sa vie, de leur vie, comme pour lui barrer, comme pour l'en chasser. Qu'il s'en aille ! Qu'elle ne le croise plus ! Qu'elle ne sache jamais d'où il vient ni où il ira ! Qu'il soit tué, lui ! Qu'il soit tué et qu'on n'en parle plus ! Qu'il disparaisse, une fois pour toutes !

Ses yeux fixés sur lui sont deux balles de rage, deux éclats de haine qu'elle lui plante au ventre, deux clous de fureur dont elle scelle son cercueil. Ils se noient comme elle sombre. Elle ne voit plus. Elle ne veut plus voir. Alors elle crie. Elle crie toute la furie de son corps. Elle vomit loin, là-bas, toute l'angoisse entassée tout ce temps. Elle crie la vanité qui surgit et l'inutile qui s'abat, immenses et sans fin. Elle crie tout ce qu'elle a, tout ce qui lui reste, tout ce qu'elle n'a plus et qu'elle n'aura pas. Elle crie sa rage, la vie dégueulasse, cette débauchée, cette saleté, cette traînée, cette rognure, cette Marie-salope, putain toujours aux mêmes et salope toujours aux autres. Elle l'empieute cette raclure, elle crucifie le silence et assassine l'air.

Elle ne voit pas qu'il s'est retourné et qu'il vient vers elle. Elle ne le voit pas descendre à son tour entre les pommiers, presser le pas puis courir, alors qu'elle se met à hurler. Il est là maintenant, à deux pas d'elle. Il s'arrête. Il n'ose plus s'approcher. Elle ne le voit toujours pas, elle ne veut plus regarder, elle ne veut plus de cette hantise, elle la refuse, elle ne veut plus ouvrir les yeux, jamais. Alors deux mains se posent sur les siennes, fortes et consolantes, une peau râpeuse, des doigts qui se referment. Elle se tait. Elle les connaît. Ces doigts. Ce toucher. Oui, elle les connaît. Soudain, tout se relâche. Un feu familier file dans ses doigts, remonte ses mains et parcourt ses bras. Elle ne sait plus si elle respire, si son cœur bat, si elle est dans son corps ou envolée ailleurs. Elle ne sait plus ce qu'elle est, si cela est vrai, si elle est folle, si elle divague, si elle rêve ou si elle cauchemarde. Elle ne perçoit que ces deux mains, qu'elle reconnaît si bien, ces doigts qu'elle n'oublierait pas, cette peau qui est aussi la sienne. Ses mains, ses doigts, sa peau.

Elle sent son souffle. Elle sent la braise enfouie sous la cendre. Elle ne veut pas ouvrir les yeux, toujours pas. Elle ne veut pas voir, pas encore. Elle retient l'instant, fragile, ce fragment de possible, résidu d'espoir surgi de nulle part. Elle craint de retomber dans le blanc, que le vent froid n'étouffe les flammes, qu'un gel de mort ne la consume pour de bon et que les cendres de sa vie ne s'envolent, balayées, emprisonnées pour l'éternité dans un glacis d'acier. Non, elle ne veut pas voir, ce trouble est si bon, et l'évidence si risquée. Et puis elle en est sûre, sa peau ne ment pas, ses mains sont ses yeux, ses doigts ses prunelles, aiguisés, infaillibles, ils ne peuvent pas mentir, elle n'a besoin de rien d'autre, ça ne peut pas être un songe, elle n'est pas à foller.

Elle serre ces mains qui ont pris les siennes. Il n'y a plus de froid, il n'y a plus de vent, plus d'hiver ni de nuit. Tout est clair et crémeux autour d'elle. Elle effleure cette peau qu'elle connaît tant.

« Oui, c'est moi ! C'est bien moi ! »

Il ne peut même pas en rire. Il ne sait même plus quoi dire.

« Oui, c'est toi ! C'est bien toi », et elle serre ses doigts plus fort.

Ses yeux restent clos. Elle veut vivre ce rêve comme un songe. Alors elle lâche les mains et se faufile entre les pans de laine. Elle parcourt les flancs de celui qu'elle sait face à elle, car ce ne peut être un songe, non ça ne se peut pas. Au chaud de l'épaisse capote, elle palpe l'intensité de son corps. Cela fait du bien ses mains sur ce corps là, son corps à lui, vivant, bien vivant. Elle attarde ses paumes contre son uniforme, si moelleux, si rassurant, elle l'effleure, avec amour et lenteur, elle les promène sur les côtés, sous ses bras, de sa poitrine à la ceinture, sur le haut de ses cuisses, jusqu'aux genoux, le long de ses jambes. Elle capture sa force, aspire sa chaleur, elle accueille le calme et la sérénité. Elle sait le sang qui flâne, le cœur qui parle et le buste qui rassure. Elle respire le blanc de sa bouche, qui caresse son visage et l'emmêle à lui, bouffées de sa vie qui n'appartient qu'à elle. Alors elle pose sa tête contre sa poitrine, au creux de son épaule. D'abord son front, dans un merci. Et elle dépose là tous les poids qu'elle porte, ces poids morts qui l'empêchent de vivre, le poids des morts, le poids de cette mort qu'elle a cru venir, qui l'écrase comme un fichu de plomb, invisible mais si lourd. Elle veut recevoir la paix, sa paix à lui, celle dans laquelle elle veut vivre. Elle le salue, elle salue son mari, qui l'aime et qu'elle ne sait qu'aimer. Elle boit son odeur mâle, par le nez et la bouche, qui glisse dans sa poitrine, épice son sang et la prend, loin, là-bas, l'odeur poivrée de sa peau, de ses poils et de sa sueur, qui l'envahit et la conquiert à nouveau. Ses doigts agacent ses muscles, elle les frictionne, les remue, si durs et si forts. Elle tourne sa joue sur sa poitrine. Tout s'embrase, ses sens vont éclater sur lui. Elle reste ainsi, cramponnée à ce rêve qu'elle n'osait plus.

Combien cela dure-t-il ? Elle ne le sait pas. Elle s'en moque et cela n'a pas d'importance, c'est leur éternité, même pour quelques secondes, même pour quelques minutes. Il ne faut pas se détacher, il ne le faut pas. La vie doit reconquérir sa place, la vraie vie, celle d'avant, qui n'aurait pas dû cesser et dont on attend l'après. La passion vaincra le nécessaire, elle le remettra à sa place, en dessous, sous le reste, tout le reste, à sa place étriquée, juste la sienne et rien de plus, sa petite place bien bordée, bien bornée, remisée dans un coin du bonheur. Et puis il y a le petiot, tout seul là-haut, qui se réveillera si heureux de revoir son père. Et son père, tellement fier, si pressé de le soulever au ciel. Ah oui, qu'ils seront heureux tous les deux ! Alors il le faut, il faut se détacher, mais sans se séparer, en restant collés, sans sortir de l'étreinte, il faut juste rentrer chez eux, retrouver leur chez eux, leur véritable chez eux, à eux tous, et reprendre le cours qui n'aurait dû cesser. Il faut retourner à l'amour, enterrer la peine, la murer, même urgente, et le laisser rugir, le libérer, ici, maintenant, à la ronde, le jeter à la cantonade, par les chemins, par les champs, par les bois, il faut tout en réensemencer, tout en refertiliser. Elle l'entraîne vers leur maison et elle déferle en larmes qui ne sont que d'ivresse. Il le faut, il faut pleurer, quand pleurerait-on sinon ? Elle a été assez solide, à la hauteur, elle peut vivre maintenant, elle en a le droit, et lui aussi. D'ailleurs, il pleure lui aussi, oh discrètement, comme un homme, mais elle le voit à son front, il n'a plus peur, il ne va pas mourir, pas encore.

« Je... ne t'ai pas re... connu. J'ai... cru que c'était... que c'était pour... tu sais... la... mauvaise nouvelle...

— Ah bon ? Vraiment ? Dame ! Mais tu sais bien qu'on est à Évreux en ce moment ! Ça pouvait pas être ça !

— Oui... Tu as... tu as raison. Mais... tout... tout ça... je... l'oublie... La guerre... la guerre. Il... n'y a plus qu'elle... Elle est plus... plus forte que... tout... que tout le reste. Oh... J'ai tellement... tellement peur tu sais... Tellement peur... On a plus... peur... que vous nous... autres ici... J'en suis sûre... Tu ne... tu ne m'en veux... veux pas de dire ça... hein tu ne... m'en veux pas ? On... n'y est pas... nous... On ne voit pas, on ne... sait... sait pas. C'est... c'est comme... comme une bête... là... au fond du ventre. Elle... elle nous saute... à la... gorge... à la... à la moindre... occasion, au... au moindre... signe. Je suis sortie... de la tirée et dans... dans le brouillard j'ai... vu un homme... un... un uniforme devant la... porte. Tu... tu ne m'avais... pas... prévenue... je n'ai pas... reçu de... courrier.

— Non, j'ai pas pu prévenir. J'ai eu la perm au dernier moment, enfin pas vraiment une perm. Un arrangement avec le lieutenant. C'est un bon gars, il est coulant, il comprend. Normalement, on n'a pas droit. Et puis je me suis dit que je vous ferais la surprise. Eh, je ne pensais pas te faire peur comme ça ! On a fait la route la nuit avec deux autres du coin. Ils m'ont laissé au bourg à matin. J'ai fini à pied et me voilà. Je voulais vous faire la surprise tu comprends ? Ça fait tellement longtemps ! »

En parlant, il s'est tourné vers elle. Ils se sont arrêtés. Elle n'en revient toujours pas de ce qu'elle voit. C'est lui, c'est bien lui. Oh, il est changé c'est sûr, on voit bien que ça use le bonhomme toutes ces histoires, mais oui, c'est bien lui. Ce sont bien ses yeux, c'est bien sa voix, et puis ses mains. C'est bien lui.

« Tu... tu sais y'en a... tellement des... tués par ici ces... ces derniers temps. On... on a l'impression que ça... que ça n'arrête plus... Non... On ne... on ne cause que de ça, comme… comme s'il n'y avait plus que… que ça… comme nouvelles. À… à chaque fois qu'on croise… qu'on croise quelqu'un c'est encore un autre… Toujours un autre… Y'aura bientôt plus que… que des veuves et des… orphelins ici au train où… où ça va. On… on dirait qu'il n'y a plus… que des messes pour… les morts et… les disparus. Y'a… Y'a pas beaucoup de cercueils je… te le dis. Des… disparus… Quasiment que… des… disparus. Tu… tu… tu parles d'une… misère tout ça. Tout… tout le monde va se… trouver en noir… bientôt. Tout… le monde a quelqu'un de… parti maintenant. Ils n'arrêtent… plus d'appeler des… des classes, toujours… des classes. On n'en voit… pas le bout. Alors… moi quand… j'ai vu cet uniforme-là… haut devant… devant la porte j'ai… paniqué, tu… tu penses bien. Ah… dame… qu'est-ce que… qu'est-ce que j'ai eu peur… J'étais tellement… en colère aussi. Je… je voulais tellement qu'il… s'en aille, qu'il disparaisse… pour toujours, ce type… là… avec son uniforme ! »

Ils reprennent leur marche vers leur abri pour quelque temps, ces quelques jours ensemble qu'ils voudront sans fin. Il y fera bon, clair, l'horloge leur chantera chaque seconde, une à une, chaque seconde d'eux.

Qu'ils fredonnaient à sa mémoire ces moments-là ! Qu'est-ce qu'elle avait eu peur... Pour ça, elle avait eu peur ! Mais bon, ça n'avait pas encore été pour cette fois et ils avaient passé une poignée de jours épatants, tous ensemble, avec le petit. La guerre s'était éclipsée, un instant, pour ne pas gêner, elle jouait la pudeur. Ils avaient été heureux. D'ailleurs, la fin d'année verrait un autre petit, une petiote cette fois. On vivait au jour le jour, c'était bien le cas de le dire, on ne prévoyait rien, on prenait comme ça venait, parce que ça ne durerait pas, on le savait bien. Il n'y avait que la guerre qui durait, ça oui, elle était bien emmanchée pour durer celle-là désormais.

Il n'y avait pas que ses cartes à lui. La famille, cousins, cousines, ou connaissances tout bêtement, avaient aussi écrit, qui avaient eu le souci de le soutenir, ou simplement les principes du souci, le souci des bonnes manières. Cela lui remémorait d'autres aspects de sa vie d'alors et, souvent, elle en relevait encore les maladresses. Le temps n'efface pas tout, il y en avait aussi eu des bêtises d'écrites. Oh, ce n'était pas de la méchanceté, pour sûr, mais voilà, quand on n'avait personne soldat on ne se rendait pas compte, c'est ça, on ne se rendait pas compte. On ne ressentait pas les choses pareil alors, forcément, on écrivait parfois des mots qui, pour être sincères, étaient parfois cruels. Même rares, chacune de ces fois avait été de trop, chacun de ces mots, innocent supplice, avait salé sa plaie. Ils s'imposaient une fois de plus à elle et, si le temps avait poli leur lame, ils conservaient un fond d'amertume que rien, jamais, n'avait dissipé tout à fait.

Une grande maison bourgeoise, avec sa grille forgée.

Cher Ami,

Je vient te remercier de ton aimable petite letre que j'ai reçu ce matin et qui ma fait grand plaisire d'avoire de tait nouvelles et de te voir pas trop malheureux je voit que tu te fait bien à tont nouvaux métier tant mieux ne te fait pas de bile je te dit que tout le monde vas bien je l'ais revue ce matin je te diret que la santé est bonne pour le moment et j'espère que ma carte te trouve de même maman vas toujours doucement je te dit qu'il fait bine mauvait temps nous sommes en train de faire des traversin pour larmée on ni gagne de l'or surtout je te quite pour travailler c'est de la part d'une amie qui pense à toit

Et puis quoi encore ? Comme si c'était son nouveau métier d'être soldat ! Il était cultivateur lui, cultivateur et rien d'autre, bon sang ! Qu'est-ce que c'était donc que cette idée de nouveau métier ? Comme s'il avait eu le choix ! Il avait pas changé de métier quand même ! Il était parti soldat et la guerre était venue ! C'est tout ! C'était pas un métier d'aller se faire tuer, ça non, c'était pas un métier. C'était même pas une vie ! Et puis ces histoires de pas se faire de bile parce que tout le monde allait bien ! Qu'est-ce que ça pouvait lui faire à lui que tout allait bien chez elle ? Elle était même pas de la famille, on la connaissait comme ça, on se trouvait de temps en temps chez les uns ou les autres, mais rien de plus. Depuis quand il devait s'inquiéter pour ceux-là ? Comme s'il en avait pas déjà assez comme ça des raisons de s'en faire, de la bile, comme elle disait la Denise. Non mais y'avait pas idée d'écrire des choses pareilles ! Fallait pas avoir de mari soldat pour écrire ça, non, fallait pas avoir de mari soldat.

Et puis les traversins ! Fallait encore qu'elle se vante de faire de l'or avec leurs traversins. Eux ils risquaient leur peau, et la voilà qui lui racontait ses affaires, et que ça lui rapportait gros encore ! C'est sûr que ça avait l'air de bien se passer leurs histoires à eux, ils avaient pas l'air de s'en faire à compter l'or des traversins. Ah c'était pas moche pour tout le monde cette guerre. Y'en avait encore qu'arrivaient à y trouver leur beurre et ceux-là, de la bile, ils s'en faisaient pas, mais alors vraiment pas, on s'en doutait bien assez. Y'a quand même des choses qu'on évite de dire, même quand on a rien à dire. Surtout quand on n'a rien à dire d'ailleurs.

Et cette autre, tenez, sur laquelle elle lisait à nouveau : *Tu nous dit que tu est dans les tranchées tu ne doit pas y être heureux d'avoir tant de boue que ça mais enfin que veux-tu, il faut prendre le temps comme il vient.* Ça il pouvait bien le prendre comme il venait, le temps ! Pour ces cas-là, il était bien comme tout le monde, il avait pas grand choix ! Mais bon, prendre le temps comme il venait c'était bien plus commode chez soi, bien tranquille, les fesses dans un coussin et les pieds sur une brique, qu'à patauger là-bas, la nuit comme le jour. Mais qu'est-ce qu'ils croyaient donc ceux-là ? Et la guerre il fallait la prendre comme elle venait aussi ? Et les allées, et les venues, et la crasse, et les puces, et les poux, et la merde partout, et les morts au nez, qui puent leur chagrin, qui puent à en pleurer, et les chairs aux yeux, lambeaux d'on ne voudrait pas savoir, vies débitées et rendues au détail, et les blessés aux oreilles, qui chialent leur peur et gémissent leur douleur, et les ordres imbéciles, et les contre-ordres assassins, et le fer partout, dans l'air, dans le sol et dans les corps, comme ils venaient aussi, tous, des jours un peu plus et d'autres un peu moins, que voulez-vous ? Et les permissions, c'était le contraire, on les prenait comme elles ne venaient pas ? Ah non, fallait vraiment pas y penser pour lui écrire tout ça.

Et comme si ça ne suffisait pas les profiteurs étaient partout, qui le contrariaient lui aussi et qu'il racontait parfois. Pour ça ils étaient nombreux à marcher sur la honte, à la fouler au pied, à la grimer, à la travestir en dignité, les tenanciers, les épiciers, tous ces boutiquieux d'où il allait, quand ce n'était pas les gens de pays eux-mêmes, ces gens comme eux qu'on aurait pas idée qu'ils abuseraient d'eux. Ça aussi ça la révoltait. Ah ça, dans l'affaire y'en a qui manquaient pas d'air, y'en avait du profit de fait, ça oui y'en avait de fait, c'était pas joli. Ils avaient pas honte ceux-là de profiter des soldats ! Comme si c'était pas assez, pas assez le fond du trou, il fallait encore qu'il y en ait qui se fassent du gras sur eux ! On devait les aider les soldats plutôt que de les tondre ! Et cet argent, d'où il venait cet argent ? C'était tout de même bien leurs familles qui leur donnaient, personne d'autre, c'était l'argent de gens qu'avaient déjà assez de soucis comme ça, qu'avaient déjà peur de tout perdre. C'était celui de gens qu'en avaient plus trop. Ça rentrait moins, ça, c'est sûr, avec des bras en moins ça rentrait moins. On ne pouvait pas non plus s'acharner toute la nuit en plus du jour. Alors tous ceux-là, qu'avaient idée que de rouler des soldats, on les aurait bien envoyés là-bas, bien à leur tour, à bâfrer la boue, à s'en pourrir la bouche et s'en péter la panse, histoire qu'ils voient ce que c'était d'y être et de laisser tout derrière soi. C'était son argent aussi à elle, qui se privait pour lui envoyer, à lui et à personne d'autre. C'était pour qu'il ait de quoi être mieux, se mettre plus à son aise, autant que c'était possible, et c'était pas du luxe, c'était vraiment pas du luxe. Et c'était pour qu'il puisse écrire aussi. Alors c'était pas pour engraisser des profiteurs. Même sur le prix des cartes il y en a qu'osaient. C'était encore pire que tout, vu que c'était le moyen des nouvelles, et les nouvelles c'était le plus important. C'était important d'en donner et c'était important d'en recevoir. Pour savoir. Quand on ne sait rien, on s'imagine tout. Tout, on s'imagine tout. C'est pire que de savoir, d'imaginer, comme ça, tout le temps. S'imaginer, dans ces moments-là, c'est du poison qui croupit le sang, une roue qui moule la tête, une roue de granit, qui tourne et qui appuie, sans jamais s'arrêter, qui presse un mauvais jus. Ça doit bien être ça la folie, quand ça tourne comme ça, sans s'arrêter, quand ça tourne lent, quand ça tourne flou, avec par moments, sans prévenir, une bourrasque, un coup de trop vite, qui arrache tout et envole les idées. Imaginer, c'était le pire de sa guerre à elle. Elle aurait tout troqué contre l'ignorance, contre les matins de rien. Alors quand ça venait à rien savoir, pendant des jours, le temps que le courrier vienne en plus, elle s'imaginait le pire en place d'espérer le meilleur, c'était comme ça. Et puis, à penser le pire, on n'était pas déçu. Lui encore il écrivait souvent, et même au front il écrirait souvent, elle le savait, autant qu'il le pourrait. Mais d'autres pouvaient rester des mois sans ça ! Le gars Leprince, par exemple, il venait de récrire de quatre mois à ses parents. Quatre mois sans nouvelles ! C'était déjà la deuxième fois qu'ils l'avaient cru perdu. Comment c'était possible de ne pas donner de nouvelles pendant quatre mois ? Fallait vraiment pas avoir le souci de son prochain pour rester aussi long sans écrire. Ou fallait pas avoir d'argent peut-être bien aussi, c'était encore possible avec tous ceux qu'en faisaient leur magot. Ça faisait tellement de bien de recevoir des nouvelles, ça faisait tellement de bien. Même les mauvaises elles faisaient du bien. C'était la vie les nouvelles, tant qu'il y en avait c'était qu'il y avait de la vie. Elle en avait redemandé des cartes avec des mauvaises nouvelles, elle pouvait bien le dire. Elle en avait eu son lot, comme toutes les autres, mais c'était mieux que rien. Rien, c'était pire que le silence. C'était le vide, c'était rien que du vide. Il n'y avait plus rien. Rien, c'était le vide qui gorgeait la tête. Rien ça pouvait être tout et, dans tout, c'est là qu'elle cavalait l'imagination. Pour elle, tout, c'était un pré sans barrières, elle s'en donnait à cœur joie, elle galopait les jours et elle ruait les nuits. Ça, elle s'en serait bien passée de l'imagination, une belle garce celle-là à faire du mal comme ça. Une belle garce engraissée par des beaux salauds qui la nourrissaient à grands coups de cartes hors de prix. Pourquoi se priver, autant profiter jusqu'au bout ! C'était humiliant surtout. Ils avaient déjà pas décidé d'être là où ils étaient, alors leur faire les poches comme ça ! C'était pas propre, ça non c'était pas propre. Même sur les cartes ils avaient profité. Et avec des grands bonjours, et avec des grands bonsoirs, et des je vous en prie par ci et des au plaisir par-là, et des ça doit pas être drôle aux tranchées, et des on vous plaint, et des faut espérer qu'au moins la soupe est bonne, ah ça, ça ne devait pas se priver de miel pour emballer tout ça ! C'était pas une raison parce qu'ils étaient paysans et que beaucoup en étaient qu'il fallait les prendre de haut comme ça. Ils étaient pas moins que les autres, ni moins dignes ni moins capables, pas même de la tête et encore moins du corps. Pour qui donc ils se prenaient, ceux-là, à vouloir profiter en large ?

Ça avait été cela, aussi, ses maigres soulagements, quelques souillures qui leur tâchaient le moment. Tant qu'il n'était pas au front finalement, pas dans la catastrophe, ce n'était bien qu'un moindre mal. Mais le mal était partout, le mal de la guerre, le mal des hommes en guerre. Il s'infiltrait, il noircissait, il pourrissait. Alors elle passait vite ces cartes-là. Celles qu'elle aimait portaient léger, l'innocence et le sans-souci, même si c'était pas vraiment vrai, même si on trichait, même si on jouait et qu'on le savait. Au moins, on y jouait pour soi, pas pour les autres. On ne s'y disait pas forcément grand-chose, des banalités même. Mais que dire d'autre dans l'indicible, quand personne ne pouvait comprendre, quand tout était hors de mesure, hors de portée, hors des mots, hors de raison, quand tout n'était plus qu'émotions, sensations, violentes, primaires, barbares, quand on ne voulait pas ajouter de pelletées d'effroi sur des tombereaux d'angoisses ?

La lumière pesait à nouveau. Les nuages redonnaient la charge et reprenaient le dessus sur les poches de ciel bleu. L'ombre se sentait des ailes et le vent pointait pour mieux la porter. Ah oui, celle-ci, avec la photo des petites maisons. Elle était moins heureuse déjà, elle n'annonçait rien de bon, non, elle disait qu'on n'allait pas vers le mieux. C'était une empreinte précise, un lundi, elle faisait la lavée à la mare.

Elle goutte le timide soleil du début de printemps, qui ne réchauffe pas grand-chose à cette heure encore, à peine au-dessus du petit bois, là-bas, quelques pas face à elle. Ce bois, elle n'y va guère depuis qu'il est parti. C'est plutôt son territoire à lui, un peu de chasse, les champignons et, surtout, le bois d'hiver. Elle, elle y va surtout pour collecter le petit bois qui rallume la cheminée ou le fourneau. Ça commence à l'ennuyer d'ailleurs, qu'il n'y chasse plus, car les renards sont plus pressants. Pas plus tard que la semaine d'avant c'est une pintade qui y est passée. Ça demande plus d'attention, c'est du souci et du travail en plus. Elle n'a pas besoin de ça, avec le petit qui cavale partout maintenant et qu'il faut surveiller aussi. Elle prendra l'occasion d'une battue, un jour, pour régler le problème.

Elle est matineuse, comme chaque jour, et puisque c'est lundi, après la traite, elle a rassemblé le sale et elle est descendue. Elle se sent bien ce matin, on tient le bon bout des saisons. La rosée allège l'air, les coursonnes plastronnent et les arbres vont blanchir. Elle a vu tout ça en chemin, sans y paraître. Les oiseaux repassent leurs partitions, la terre reposée grise les narines, le travail de rapport se profile. Oui, elle se sent bien ce matin. Même cette lavée la distrait au milieu de cette vie qui reprend. C'est dérisoire dans tout ça, c'est vrai, mais il faut profiter de tout, du peu, faire toujours trop du pas assez, tirer beaucoup du pas grand-chose, du rien que laisse la guerre, car elle n'en laisse pas beaucoup celle-là, non, elle n'en laisse pas beaucoup. Elle s'en accapare même de plus en plus, cette goulue, les uns après les autres, par lots entiers, de plus en plus vieux comme de plus en plus jeunes, tant et plus. Elle ne se contient pas, elle se bâfre, elle avale, elle avale, elle avale.

C'est qu'elle mange la guerre, elle mange tout. Elle mange et elle digère. Ça, pour prendre elle prend et comme ça va on se demande bien ce qui restera. Nom d'un chien, y'en aura-t-il assez pour qu'elle se serve sans fin comme ça ? Elle va finir par tout vider la guerre, tout lécher, tout boucaner. On voit bien que c'est le printemps, que la vie reprend, mais elle, la guerre, la vie elle la prend, et c'est encore autre chose. Il y a la terre, qui donne. Et il y a la guerre, qui prend, qui met en terre. Qu'est-ce qu'elle met en terre la guerre... La terre c'est comme le ventre de la guerre, c'est ça, le ventre de la guerre. C'est là que tout finit. On dirait que c'est la terre qui dévore au final, qui s'empiffre et qui profite. On dirait que c'est la terre qui fait la guerre, pour se repaître. Elle donne la vie la terre, elle le voit bien, elle le sait bien, mais elle ne donne pas des hommes la terre, ça non, elle ne donne pas des hommes.

Elle les prend. Est-ce qu'il faut prendre les hommes pour rendre la vie ? Est-ce qu'il faut s'en nourrir pour les nourrir ? Et elle ne prend pas que les hommes, la guerre. Elle prend aussi les chevaux, les bêtes, le matériel, tout ce qui va avec et tout le n'importe quoi. On lui donne tout, morceau par morceau, bouchée par bouchée, on la nourrit comme un enfant, à la cuiller, un enfant qui nous mange et on ne revoit la couleur de rien. On espère revoir les hommes, c'est tout ce qu'on ose encore, parce que pour le reste, c'est mort et englouti. Oui, il n'y a guère que les hommes qu'on espère revoir. Alors on se dit que c'est utile tout ce qu'on donne, peut-être plus utile qu'ici, que ça fera gagner, pour que ça finisse enfin. Ça réconforte, c'est un peu faire la guerre avec eux que de lui donner à manger, à la guerre, et peut-être qu'elle prendra moins d'hommes si on la gave d'autres choses.

À genoux dans sa case à laver, les mains fouettées par l'eau froide, elle bat son linge comme s'il était les idées noires. Ne pas subir, surmonter, dominer tout ce qui peut l'être. Pour commencer, elle a dégrossi à l'eau claire. Ensuite, elle a enduit de savon noir, puis frotté, énergiquement, à la brosse de chiendent. Pour finir, elle rincera, là, devant elle. Elle ne fera pas bouillir cette fois, ça c'est une fois l'an seulement, deux parfois et, de toute façon, ça ne se fait pas seule, il faut se grouper. Ah, ça pour être une corvée c'est une corvée !

Le chien aboie. Elle se redresse, pose son battoir et s'essuie au tablier, en se retournant vers la route, là-haut, près de la maison. C'est le facteur. Il franchit tout juste la barrière en bois. À sa vue, son cœur accélère, cette agitation qu'elle connaît trop bien, cette pâte d'espoir et de crainte. Elle se dresse sur ses jambes et va à sa rencontre. Le chien s'est tu, il l'a reconnu. Elle active le pas, elle est malgré tout pressée de savoir ce qu'il en est. Elle préfère ça au doute qui lui rôde autour, comme les renards, la nuit, autour du poulailler. Alors elle se hâte un peu, elle le regarde qui est tout près désormais, et elle lui sourit, d'un sourire poli, un peu contraint.

« Bonjour Sidonie ! Tiens, j'ai une enveloppe pour toi. Ça doit bien être une carte de ton homme. »

Il lui tend le courrier, le seul qu'il ait pour elle aujourd'hui. Oui, ça doit bien être lui. Elle reconnaît l'enveloppe et l'écriture dessus.

Il tente la conversation. Elle répond à peine. Elle a hâte qu'il parte et d'enfin ouvrir. Elle a envie d'être seule. C'est idiot, elle est tout le temps seule. Elle travaille seule, elle assume seule, elle dort seule, elle souffre seule et d'être seule. Elle se démène dans le toute seule, un grand marais de toute seule, sans rive ni recours. Il y a bien son fils qui la raccroche, qui la porte de sa joie de vivre, dans ses petits bras, de ses petites forces de ne pas se rendre compte, de ses rires, ses rires d'innocence, ses rires de tout qui va bien, ses rires de vie qui est belle, ses rires de maman qui est tout, ses rires de maman comme je t'aime. Mais ce n'est pas pareil, ça ne peut pas l'être. Parce que lui aussi il la fait toute seule, malgré lui le pauvre, malgré ce qu'il donne, encore plus toute seule, toute seule de ses demandes, toute seule de ses besoins, toute seule de son père. Il y a bien ses sœurs. Mais pour les ainées c'est pareil, ils sont tous partis. On n'est pas moins seules d'être seules chacune chez soi et de faire une addition d'absences. Il y bien la plus jeune, Adèle, sa chère petite sœur, qui fait tout ce qu'elle peut, qui démène sa jeunesse, se multiplie, use sa compassion, la répand aux quatre coins de ses sœurs, sans mesure, mais ne peut rien à ce qui manque. Il y a bien ses parents, mais c'est différent. Avancés dans l'âge, ils sont submergés par la vague, rattrapés par le passé, pris par la fatalité. Il y a aussi tous les autres, si nombreux. Mais qui peut quelque chose quand personne ne peut rien ? Il y a bien les visites, c'est vrai, qu'on se fait les uns aux autres, ceux qui viennent chez elle, de temps à autre, prendre le café, dire pour eux ou se proposer. Il y a les femmes avec qui elle se retrouve, pour partager des ouvrages, côte à côte. Oh, elles se disent pas forcément grand-chose et puis, de toute façon, on sait bien comme c'est, voilà, alors à quoi bon, on va pas se remuer tout ça, ça y changerait quoi ? On se retrouve pour être ensemble et rien que ça, eh bien ça déleste toujours un peu, même dans la taiserie, même dans la pénombre, étayées d'une simple chandelle, malgré le tintement de l'horloge, à chaque seconde, à chaque seconde, à chaque seconde… seconde… après… seconde. Le silence qui emmitoufle ces moments-là, c'est le temps, le temps qu'on entend. À quoi bon lutter, à quoi bon le retenir, il est le plus fort et la patience reste la seule défense. Les doigts guident les aiguilles et le temps pique. Tic…tac… tic…tac… tic…tac… Il les entreprend de ses petits coups. Elles ne peuvent que craindre et espérer, il n'y a rien d'autre à faire, non, il n'y a rien d'autre à faire. Parfois, elles ne font rien. Elles sont simplement là et elles pensent. Mais elles pensent ensemble et ça aussi, rien que cela, ça fait du bien.

Alors oui, recevoir ses lettres, c'est l'unique moment où elle a envie d'être seule, une bonne solitude pour une fois, pour être avec lui, tout à fait à lui, entièrement à lui, à lui seul et à personne d'autre, comme s'il était là, avec elle, et pour qu'elle soit là, avec lui. Elle veut qu'ils soient tous deux, rien que tous deux, de cette autre façon d'être tous les deux, son écriture, ses mots, à lui, ses yeux, ses doigts, à elle. Tout cela se bouscule dans sa tête. Alors elle n'encourage pas la conversation, elle répond de simples mots.

Le préposé comprend. Il a l'habitude maintenant. Il sait quand ce n'est pas le moment, quand il faut savoir juste passer, en coup de vent, donner le courrier et s'en aller. Ah, c'est sûr que c'était plus gai avant. On l'invitait à prendre un café ou une goutte, on s'attablait, on s'attardait, on discutait, de tout, de rien, de sa récolte de potins, qu'il recélait des uns aux autres. Il n'amenait pas que le courrier, il amenait les nouvelles. Mais c'est différent à présent. Si cela arrive encore, souvent ce n'est que noirceur, grisaille dans le meilleur des cas. Le cœur n'y est plus, il n'est qu'aux tracas. Il la salue d'un bref coup de casquette, lui sourit et repart. D'autres s'impatientent. Il ne fera pas que des heureuses, mais il en fera et c'est déjà ça.

Elle le laisse s'éloigner, immobile, l'enveloppe dans ses mains encore froides. De quoi sont-elles froides d'ailleurs ? De l'eau qui allonge encore ? D'inquiétude ? De pressentiment ? Elle ne sait pas, elle ne se le demande pas. Elle attend juste qu'il s'éclipse, là-bas, au coin de la barrière, qu'il ait tourné tout à fait. Voilà, la route l'a pris. Elle détourne son regard, cherche où s'asseoir au soleil. Le petit muret du légumier, là-bas, elle y sera bien, ce sera comme s'il était à côté d'elle. Ils s'y mettent souvent quand il est là, vraiment là, pour quelques minutes à eux.

Elle y marche. Elle prend son temps maintenant qu'elle sait que c'est lui. Elle veut apprécier cette dernière attente, ces quelques secondes qui la séparent de ce qu'il lui dit. Son cœur ne se calme pas, bien au contraire. Elle voudrait ne pas se faire confiance mais elle sait, intimement, qu'elle le doit, qu'elle ne peut pas faire autrement, écouter cette petite voix qui lui parle, qui lui chuchote et qui commence à la marner.

Elle arrive au muret. Elle s'assied. Elle dévisage la lettre, lit et relit l'adresse qu'il a posée, comme si elle pouvait s'en contenter, gagner du temps, encore, retarder toujours l'échéance. Elle dissèque l'enveloppe, son écriture, le timbre, le tampon des Postes. C'est bien lui. Il est là, avec elle, ils sont tous les deux. Elle caresse le papier. Le tampon est d'Évreux, ça la rassure un peu. Il est du vingt-neuf mars, il y a trois jours déjà. Il était donc encore à Évreux il y a trois jours. Mais que se sera-t-il passé depuis, qui sera absent de ce qu'elle lira ? Le soleil progresse, il prend des forces mais ne la réchauffe pas. C'est au contraire l'énergie du labeur qui s'en va peu à peu et elle sent bien que le froid la gagne désormais, là, sur sa peau collante. Elle sort de sa blouse le petit Opinel qui la suit partout et musarde la lame dans le pli de l'enveloppe. Ses doigts s'insèrent dans l'ouverture, saisissent la carte et la tirent au jour.

Ce sont des petites maisons blanches, sans étage, avec des briques aux angles et aux fenêtres, toutes les mêmes, bien alignées autour d'une cour. Devant il y a un bout de rue et un trottoir, séparés de la cour par une grille et un mur bas. Tout à gauche, un tronc d'arbre. Dans la cour, il y a des hommes, une vingtaine peut-être, en petits groupes, qui tuent le temps en discutant. Ils sont en uniformes, pas tous les mêmes, certains foncés et d'autres plus clairs. En haut figure la mention : « 89. Évreux – Baraquements militaires. C. M. », avec un bout de tampon, sans aucun mot visible.

Elle étire les secondes, confiture les minutes, elle scrute les détails. Elle veut s'imprégner de cette image, écouter ce qu'elle dit, à quoi il a pensé, pourquoi il l'a choisie, celle-ci plutôt qu'une autre. Elle accueille tout ce qui en sort, tout ce qui vient à ses yeux. Elle écoute sa voix qui monte du carton, dont elle respire le baume qui se faufile dans l'herbe. C'est bon aussi le goût de l'impatience, le goût du temps qu'on attrape, avant qu'il ne s'échappe. Les secondes s'en viennent, passent et se retirent, dans une révérence sans retour. On ne les revoit plus. Jamais. Il faut être avec elles quand elles sont là, même si c'est peu, avant qu'elles ne s'enfuient. Alors oui, elle prend son temps. Elle sait bien que c'est sa fuite à elle aussi, qu'elle retarde l'affront des mots, couchés là, de l'autre côté. Elle sait bien que retenir ce temps-là est une crainte du temps qui vient. Elle le sait. Son corps lui dit et ne ment pas. Elle aimerait retourner le carton le cœur léger mais elle sait que ce ne sera pas ainsi, pas cette fois, elle le sait déjà. Ses yeux se redressent vers les pommiers devant elle et, au-delà, sur le bois. Ils errent au loin puis reviennent sur les hommes, dans la cour. Si ça se trouve il y est, lui ! Ce serait amusant de le chercher ! C'est peut-être pour ça d'ailleurs qu'il a choisi celle-ci. Non… elle doit lire maintenant. Elle doit retourner cette carte et elle doit lire. Elle doit faire face aux mots. Elle ne doit plus repousser l'échéance ni trouver de prétexte. Elle la renverse.

Évreux – le 10 mars 1915
Cher petite femme,
Je t'écris ses deux mots pour te dire que je suis toujour en
bonne santé et j'espère que ma carte te trouvera de même
demain on part encore pour faire une marche et on doit
partir cette semaine s'y tu veux menvoyer encore un peut
d'argent pour que je l'ait avant que de partir parce ce que
sur ce que je sait sa ne sera pas facile dans avoir ou on
doit aller on ne recevra peut-être rien pour s'y tu men
envoie il faut l'envoyer le plus vite possible tu peut la
mettre dans une lettre si tu veut. Je t'envoie la carte ou je
suis logé. Gros baisers ainsi qu'a mon fils.

« On doit partir cette semaine. » Il a écrit cette carte il
y a trois jours maintenant. Il est parti, déjà, c'est sûr, elle
en est sûre. Il est parti. Il s'éloigne. Mon Dieu, quand
reviendra-t-il désormais ? Et reviendra-t-il ? Où est-il, là,
maintenant ? Est-ce possible qu'il soit encore là, à l'abri,
même pour quelques heures ? Et où va-t-il ? Quand le
saura-t-elle ? Combien de matins de rien ?
Elle lève la tête. Elle ne veut plus lire. Se relever. Y
retourner. Recommencer. Faire face. Comme lui.

Les semaines suivantes il avait eu soin de lui écrire autant que
possible, presque tous les jours, pour lui dire qu'il partait, pour
de bon, là où il passait, ce qu'il savait, ce qu'il ignorait, quelques

mots rapides pour la rassurer et, peut-être, surtout, lui dire que ce n'était pas encore ce qu'elle redoutait. Des cartes rapides, écrites au vol. Il voulait l'apaiser, c'est vrai, mais ça partait au vilain, elle le voyait bien, elle l'avait compris. C'était plus pareil, il parlait d'exercices, rien n'était plus sûr, ça gesticulait, un jour à une place, quelques-uns à une autre. Elle avait bien perçu, à sa façon d'écrire, qu'il était moins tranquille, plus anxieux, campé sur les nerfs, qu'il s'agaçait pour des riens, la soupe, la couche, les chefs, des broutilles qui n'en étaient plus. Il avait beau dire qu'il aimait voir du pays et que c'était l'avantage de tous ces déménagements, elle savait bien que c'était bravache et que ça devait bien lui faire drôle. On n'avait pas l'habitude d'en voir tant, du pays, ah ça non, on n'avait pas l'habitude. On n'en voyait même pas du tout, c'est à peine si on sortait de sa campagne. Dame, quand on était comme eux, le pays on le voyait encore un peu à l'école, sur les cartes de géographie, ça n'allait pas plus loin, les grandes au mur de la classe et celles dans les livres. C'était pas comme maintenant, on avait vite fait le tour. On voyageait dans sa tête, on se faisait plein d'images des histoires. Voilà, on voyageait dans sa tête quand on avait envie, c'était le bon côté, tout était possible, on pouvait aller partout, on n'était pas enfoui quand on avait de l'idée. Alors ça paraissait grand la France, immense, plein d'endroits où on n'irait pas. Et voilà qu'à cette heure il allait vraiment partout, même si tous les partout ne se valaient pas et qu'il finirait dans un qui ne valait rien.

Alors, au milieu de cet empressement, quand il avait eu un peu plus de temps il lui avait écrit plus longuement. Il lui disait les endroits, lui faisait découvrir, comme si elle était avec lui, comme s'ils pouvaient avoir les mêmes souvenirs, leurs souvenirs à eux. Ils voyageaient ensemble, elle refaisait son parcours, elle voyait à quoi ça ressemblait, des photos de campagnes, des gares, le dedans d'une église, Louviers, Évreux souvent, où il avait dû faire provision. Il ne devait pas compter en trouver ailleurs et il voulait être sûr de pouvoir lui écrire. Ça lui faisait encore quelque chose de repenser qu'il avait gardé le souci d'elle au milieu de ses tourments. Elle pouvait dire aux uns et aux autres, ça faisait des conversations pour se changer les idées, au moins pour faire comme si. On se racontait les images, et comme ils étaient tous un peu partout et bien on en voyait tout un tas des pays. On aurait préféré en voir moins, on aurait bien tôt fêté de ne plus en voir du tout et on aurait été bien content avec ça, mais c'était comme ça et on s'y faisait faute de mieux. Pour le moment, elle en voyait.

C'était dans ce moment-là aussi qu'elle avait commencé à se douter qu'il pourrait bien avoir un autre petiot en chemin. D'un sens c'était une bonne nouvelle, ça oui dans une époque normale ça aurait été une bonne nouvelle. Mais là, comme on était, si ça se confirmait c'était pas du tout pareil, ça allait lui empirer l'existence, et pas qu'un peu. Elle aurait besoin d'aide en plus parce que c'était pas vu qu'il serait libéré pour ça, il fallait pas se faire d'idées.

Tout cela avait tricoté un drôle de temps, un temps suspendu. On doutait de ce qu'il était mais on savait où il allait. Ce n'était qu'un répit. Il faudrait y passer, de toute façon, la lame allait tomber, on n'y échapperait pas. Elle s'était raccrochée au fait qu'il demeure dans des pays qui ressemblaient encore au leur, un mi-chemin aux aguets, elle n'était pas perdue quand elle lisait, ça voulait dire qu'il n'était pas vraiment parti, enfin c'est ce qu'elle se disait quand elle se sentait perdre pied. L'espoir avait insisté, l'avenir avait résisté et l'envie s'était révoltée. Cela avait duré plusieurs semaines.

Ça avait été bizarre cette période-là en y repensant. Ça avait été encore plus confus qu'avant et ça le restait en elle, ce jour-là, dans son fauteuil, comme le temps par la fenêtre. Elle n'aurait pas su quoi en penser si elle y avait prêté attention, si ce n'est que cela pouvait tourner au beau comme au très mauvais. Si le soleil poursuivait la lutte, les nuages, cependant, avaient l'initiative.

« Comment ça se passe Mémère ? T'es toute tranquille là dans ton coin ! Ça va t'es toujours bien installée, t'as pas glissé ? Non ? J'ai terminé en haut. Finalement, ça a été plus vite que je pensais. J'ai refait tous les lits, j'ai passé les poussières, j'ai aspiré partout et je t'ai fait une salle de bain toute neuve. Y'avait encore bien des mouches, toujours à la même place, dans la chambre de gauche. Elles sont à la poubelle maintenant ! Et puis c'est vrai qu'il faut racheter des produits, j'en ai eu assez pour cette fois mais il ne reste plus rien. Je vais dire à Papa qu'il en ramène. Qu'est-ce que c'est que tu regardes comme ça, t'as l'air tout absorbée ! C'est des photos ? C'est ça que tu gardes dans la boîte ? Des cartes postales ? Je peux regarder ? Ah mais c'est des vielles dis donc ! D'où qu'elles viennent comme ça ? De qui tu dis ? De Pépère ? Le papa de Papa ? Mais c'est des cartes de quand alors ? De votre jeune temps ? De la guerre ? Je savais pas que tu avais tout ça dis donc, tu ne me l'avais jamais dit ! Papa non plus d'ailleurs ! D'un sens il dit déjà jamais rien de lui, tu sais, son bras et toutes ces histoires-là, alors c'est pas étonnant qu'il cause encore moins de son père. Et puis comme on sent bien qu'il faut pas en parler non plus, ben on reste comme ça. Ça fait bizarre quand même, tu trouves pas ? Bon d'un autre sens je vois qu'il a de qui tenir, hein ! Qu'est-ce que tu dis ? C'est pas intéressant ? C'est du passé ? Ça vaut pas la peine de s'embêter avec tout ça ? Tu trouves ? Ben si quand même un peu moi je trouve. C'est toujours intéressant de savoir ce qu'est arrivé, surtout quand ça se voit comme ça. Tu trouves pas ? Bon, je t'embête pas plus avec ça alors. Pour la peine, je vais avoir du temps pour te faire des choses en plus. Déjà, je vais descendre tout le linge à la buanderie et faire une machine, mais ça c'était prévu. Je mettrai à sécher dehors si le temps se tient. Sinon je mettrai dedans. Papa ramassera ce soir dans tous les cas. Pendant que la machine se fait je vais en profiter pour passer dans ta chambre en plus, comme ça ce sera fait d'avance et si Marie-Louise peut toujours pas venir jeudi et bien tu dormiras dans le propre quand même. Parce que moi, si je dois venir jeudi encore, ça sera pas trop longtemps, alors autant le faire maintenant pour être sûr. Au fait, tu sais que Colette est prise à l'hôpital ? Oui, ma sœur. Tu sais qu'elle faisait infirmière comme études, et bien ça y est, elle a tout terminé. Ça fait la deuxième de placée ! Et Andrée ? Elle est toujours à la même place, tu sais bien dans les bureaux à la laiterie. À la comptabilité. Oui, c'est ça, les calculs comme tu dis. Et son fiancé pareil. Maman aussi elle faisait ça plus jeune, tu te souviens ? Avant de se mettre avec papa et de tout laisser pour l'aider. Je vais te dire, moi je comprendrai jamais comment on peut laisser un métier comme ça pour se mettre une ferme sur le dos. Quand t'y es pas née en plus. Bon, j'y retourne alors ! Les coussins ont pas l'air d'avoir bougé, hein, t'as pas glissé du tout t'as vu ? Ça va, t'as pas trop chaud avec ta couverture ? Non ? Tu vois c'était pas inutile de la mettre, surtout que le soleil est pas si fort qu'on aurait dit tout à l'heure. C'est pas terrible encore aujourd'hui. Au fait, tu voudras peut-être aussi que je te prépare des choses à manger si ta sœur Adèle vient demain ? Ils viennent pour le goûter seulement ? D'accord mais ça empêche pas de leur préparer quelque chose, une tarte ou quelque chose comme ça, ça sera toujours mieux que des gâteaux secs. Pour la peine, je vais pas être loin là, donc si t'as besoin tu peux m'appeler, je t'entendrai. Allez, je t'embête plus, je te laisse tranquille avec tout ça ! »

Un jour, tout s'était bousculé à nouveau. Il était à Avesnes-le-Comte, dans le Pas de Calais qu'il disait, là-haut, tout dans le nord. Il avait écrit tout juste arrivé. Là, c'était plus pareil, non, c'était vraiment plus pareil. Cette fois, il y était bien remonté. Elle savait à quoi s'en tenir, il pouvait se trouver en première d'un jour à l'autre, gobé par les circonstances ou par la bêtise, au bon choix des grands chefs. On était de retour sur le mauvais bord.

La carte montrait l'église de ce bourg-là. C'était pas une église comme chez eux, c'était pas la même allure, pas du tout. Elle était bien plus ramassée. D'un homme on aurait dit qu'il était court sur pattes, trapu, avec des forces dans le corps. Voilà, c'est comme ça qu'on aurait dit. C'est peut-être pas qu'elle était moins haute que chez eux, mais il y avait des choses de changées. Les murs étaient plus bas et le toit, à l'inverse, bien plus fort, d'une seule longue pente, assez raide aussi. C'était un sacré toit que ce toit-là. Et puis le clocher était costaud de même. Il était sur l'arrière donc on ne le voyait pas en entier, mais il était tout aussi large que la nef, bien carré, avec de gros renforts aux angles. Il y avait une toute petite horloge qui indiquait midi. De ce côté-ci, l'abside ronde paraissait toute petite en proportion du reste.

Tout autour était une petite haie et une grille pour entrer qui était grande ouverte. Devant tout ça, il y avait une petite place déserte avec deux arbres maigrichons, tout en hauteur. C'était pas des beaux arbres comme celui qu'ils avaient eux, dans le cimetière même, un bel if, millénaire qu'on disait, avec un tronc si grand qu'on pouvait s'y mettre. D'ailleurs, il abritait les affaires du cimetière, les arrosoirs, les râteaux et tout le reste. C'était joli comme pratique finalement, un arbre pour s'occuper des morts. C'est vrai qu'il était beau cet if, on en était fier, pas bien haut mais massif, un peu comme l'église de cet autre pays-là, avec de grandes branches bien larges. Ça faisait une belle ombre l'été, quand on avait besoin, c'était bien commode aussi. Ces deux arbres-là, ça pouvait encore bien être de jeunes hêtres mais elle n'en était pas sûre, on ne les voyait pas assez bien.

Dimanche 25 avril 1915

J'ai bien reçu ta lettre de lundi avec le billet mais ça n'est pas la peine de m'en envoyer j'en est bien assée pour nous ca y et on est remonter et pour le moment il nous font faire des marches d'une dizaine de kilomètres tous les matins l'après-midi il y a presque tous les jours repos on regarde les aeroplane qui décole et qui revienent aujourd'hui cette après-midi il ont fait une revue des vivres de réserves l'autre jour que je montée la garde je l'ai montée six heures de midi à deux heures pour la première fois et puis de dix à minuit et pour la dernière fois de huit heure du matin à dix. La relève est tous les jours à midi cette nuit la j'ai couché dans un banneau devant la porte et puis il y avait encore de la paille fraiche dans la boutique elle est comme une poussière et plaine de pout c'est bien pour cela que je n'est pas voulu y couché il y avait un camarade avec mois aussi on avait tendu notre tente de toile au-dessus on a dormi comme des superbes et ceux qui était dans la grange il était gelé la femme de la maison nous dit qu'il y en couche tous les jours. Gros bec à ma petite femme et au petiot.

C'était encore autre chose ces histoires d'aéroplanes. À présent, on en voyait autant qu'on en voulait des avions, c'était comme les autos, mais à l'époque c'était pas grand monde qui pouvait le dire. Ça devait être une sacrée affaire que de voir ça, pour un peu on les aurait enviés. C'était pas dans son trou qu'elle allait en voir des aéroplanes, ça, c'était sûr, c'était pas là qu'on allait en voir. En plus, on disait que la guerre allait bientôt être gagnée grâce à eux. Si au moins ça pouvait être vrai.

C'était toute une affaire à l'époque. Ils en causaient dans le journal, ils racontaient des batailles dans le ciel, avec les as comme ils disaient. C'était tout à fait nouveau, ça, de se battre en l'air. C'est qu'on n'avait jamais vu ça. On avait bien du mal à se représenter, d'ailleurs, ce que ça pouvait être que de se battre comme ça. Par terre on voyait bien, on se rendait bien compte avec tout ce qui se disait partout, mais alors dans le ciel, c'était autre chose, il fallait quand même se lever de bonne heure, c'était difficile quand on n'en avait jamais vu, vraiment jamais. On n'était pas du tout de ce monde-là, pas du tout. On voyait bien à quoi ça ressemblait un aéroplane avec les photos dans le journal, mais alors un combat d'aéroplanes... À ce qu'ils disaient, on pouvait bien mieux voir les boches avec ça, on pouvait même prendre des photos, des photos depuis le ciel. On y voyait comme les oiseaux qu'ils disaient. On se demandait bien ce que ça faisait de voir comme les oiseaux. Et maintenant, on va dans la lune ! Lui, il savait mieux vu qu'il en voyait. Ça lui faisait de la distraction, ça lui donnait de l'espoir peut-être aussi.

Mais qu'est-ce que ça ne devait pas être drôle la guerre dans ce pays-là, parce que les photos qui avaient suivi c'étaient plus que ruines. C'est vrai que c'était drôle nulle part, mais là c'était au-delà de tout. Il en restait pas grand-chose de l'Hôtel de Ville d'Arras, devant lequel posaient des soldats avec une grande automobile. Ça devait avoir été beau pourtant, avec toutes ces arcades, et puis les grandes fenêtres au-dessus, comme des vitraux. Tout était éventré, avec un grand tas écroulé au pied. Même les villes étaient par terre et c'était pire que ça encore dans les campagnes, où ça leur passait dessus dans un sens puis dans un autre depuis des lustres. Là, c'était cette ferme Bossu. Ça avait l'air d'être quelque chose cette ferme, avec une grande bâtisse qu'était sans rapport avec chez eux. Mais il n'en restait pas grand-chose, ça non, il n'en restait pas grand-chose. Les vitres étaient en loques, un grand tas de décombres sur le perron et, tout à fait devant, de la boue et des arbres arrachés. C'était tout. Ça avait dû sérieusement barder pour être dans cet état.

À voir ça, on se disait qu'on n'avait pas à se plaindre. On pouvait être heureux ici d'avoir encore tous ses biens, ah ça oui on pouvait être heureux. Et avec ça on n'était pas à la veille d'être pris comme là-bas, avec tout qui croule et qu'il faut laisser. Les hommes étaient pris, et plus que de part on en était sûr, mais pour le reste il ne fallait pas se plaindre. On continuait à vivre correctement, on s'en sortait, on avait de quoi loger et manger. On n'avait plus les hommes mais on avait la terre. C'était pas rien d'avoir la terre. Tout était possible tant qu'il y avait la terre. De la terre, des grains et des mains. Avec ça, tout était possible. On avait cette chance que si ça allait encore dans le pire on aurait toujours à manger, on avait de quoi produire et on savait y faire. Enceinte en plus, oui, enceinte, c'est le docteur qui lui avait dit. Elle s'en doutait bien depuis un moment mais cette fois-ci c'était le docteur. Pour la fin de l'année qu'il lui avait dit. Car elle savait ce que c'était, à présent, de tout abandonner, de tout laisser derrière soi, toute sa vie, tout ce qu'on a, de chair et de pierre, happé par le front, traqué par les bombes, sans choix, sans délai ni lendemain. Elle ne le savait pas encore à l'époque, elle se l'imaginait seulement. En voyant le désastre, là-bas, au loin, elle éprouvait le naufrage de ces autres paysans, si éloignés de pays mais si proches de sort, la désolation qui les écrasait. Mais elle ne savait pas, non, elle ne savait pas, elle ne pouvait pas savoir. Cependant, elle l'avait vécu à son tour, trente ans plus tard, quand une autre guerre, la seconde de sa vie, oui, la seconde, et un autre front, étaient cette fois bien passés par là, et avaient tout balayé. Tout. Absolument tout.

Début août se réveillait. Il fallait se méfier des débuts d'août, on le savait bien maintenant. Comment aurait-elle pu oublier ? Son fils avait pris la suite, il avait bien fallu. Il était aux champs, elle était chez elle. Elle faisait des galettes avec sa bru dans l'ombre où elle persévérait à vivre, quand un vacarme formidable les avait enlevées. Un vacarme comme ça n'existe pas, un ouragan d'explosions, de chocs, d'éclats, d'engins, de trombes, de tout ce qui existe et de tout ce qu'on n'imagine pas, un carnage de bruit qui vous terrasse à l'intérieur, vous détruit, vous arrache et vous déchire, un ronflement, énorme, démesuré, inhumain, qui vous liquéfie à vous réduire en flaque, là sur place, dans l'instant où il surgit. Elles étaient sorties en courant, terrifiées, pour voir ce que c'était, le plat de galettes aux mains. La maison avait explosé.

Le front s'était jeté sur eux, la percée qu'ils disaient, comme un ogre sur ses proies, implacable, impitoyable, Allemands d'un côté, Anglais de l'autre, et eux au milieu. Il avait fallu se débattre, s'en arracher et fuir sur le champ, marcher, se cacher, s'abriter, dans les fossés, sous les carrioles, survivre, des jours, des semaines, sur les routes et sous les bombes, avant de pouvoir revenir enfin, pour retrouver des ruines, leurs vies dépecées à nouveau, en lambeaux de pierres et en gravats de chairs. Puantes. « Les convois ne sont plus sur le même sens », avait-elle remarqué un matin. Leurs existences non plus. De l'ossuaire de sa vie, ils n'avaient pu sauver que son armoire, sa si précieuse armoire, et son globe, miraculés. Les cigarettes et le chocolat n'y changeraient rien.

Son fils est face à elle. Elle l'a accompagné aujourd'hui. Cette seconde guerre est terminée, enfin, depuis deux petites années. Elle a pris son tribut, comme son aînée, lourd, définitif, irréversible. Comme elle, elle a été un cliquet dans sa vie, révoquant tout retour en arrière, infligeant de regarder devant. Comme elle, elle a fait table rase, à sa façon, elle a déchiré les pages et leur a tendu sa plume, en aboyant, « Recommence ! ».

C'est une belle journée, elle veut en profiter, sentir l'air encore frais amener le soleil encore vert. Le printemps se dresse et la vie, obstinée, va ressurgir de terre, à nouveau. Il laboure. Il s'arc-boute sur la charrue, tractée par son percheron blanc. La bête est puissante, revêche, il faut la connaître, il faut du cran, l'affronter si nécessaire. Il appuie de tout son poids sur le soc, de tout son bras, son unique bras, celui de gauche. Le droit fut son impôt de chair à cette seconde guerre. Il l'a laissé en Belgique, dans ce Nord à nouveau, où il avait été mobilisé, à son tour, mobilisé de père en fils, en cet autre printemps, celui de l'an quarante. Il était dans les Dragons. Avec son binôme ils reliaient les lignes en side-car, lui dans le panier et l'autre aux commandes. Le ciel a dégueulé. Des obus français, des obus amis mais trop courts pour l'ennemi. Alors ce fut eux. Son camarade y laissa la vie, éventré sur le guidon. Lui ce fût le bras, son bras droit et fort.

De son débardeur blanc déjà trempé de peine elle voit dépasser ce moignon, débris inutile face à la tâche, dérisoire face à la bête. Est-ce possible de faire ce métier, de vivre cette vie, avec une demi-paire de bras ? Il le faudra, il le faudra bien, et ce qu'il faudra, surtout, c'est de l'entêtement bien plus que du courage. Elle sait que c'est possible, il le faut d'ailleurs, car mieux vaut encore cultiver avec un bras que de mourir avec deux, ah ça oui mieux vaut encore ça, elle le sait bien. Au fond, derrière lui, des ouvriers de belle humeur reconstruisent sa maison, tout près de l'ancienne. Oh pas la même, elle sera moderne celle-là, spacieuse, claire, avec beaucoup de fenêtres, une cave, un étage et de grandes pièces pour recevoir. Il y aura un beau jardin, des allées de graviers blancs et des alignements, des plants de pommiers de chaque côté, des légumes dans une carre, un beau cerisier et un prunier, celui avec les grosses violettes, et puis des moutons, c'est ça, elle y mettra des moutons. Derrière il y aura de grands bâtiments neufs, autour d'une cour, bien propres et larges eux aussi, pour qu'on y soit à son aise, les bêtes comme les gens. Elle pourra recevoir ses petits-enfants, ses deux petites à lui et un troisième qui vient, un garçon qui sait, à moins qu'une fille encore. Et puis sa fille aussi, partie plus loin et qui, à son tour, s'approche d'être maman.

On va se mettre bien cette fois, autant se mettre bien, on sait trop bien ce que c'est que d'être mal. Au loin, les cloches répandent midi.

Elle repensait à tout cela. Vaudrait mieux y réfléchir à deux fois avant de s'y lancer dans la guerre. C'était pas rien, on avait bien de la chance quand on n'en avait pas, on avait tendance à l'oublier, c'est sûr, on avait trop tendance à l'oublier. Elle n'oublierait pas elle, ah ça non, elle n'oublierait pas. Deux fois qu'elle l'avait eu. C'était encore que la première celle-ci. Si elle avait su ça…

Le ciel renonçait. Les nuages avaient vaincu. Tout s'éteignait, un crêpe gris prenait la campagne, les arbres et le jardin. Les carreaux se serraient en vue de la rafale, les pommiers se résignaient, les poiriers se ramassaient, les légumes se repliaient, la rotonde se tassait. Les gravillons se mourraient comme de la pierre. Le temps changeait vite, comme les temps en d'autres temps. Dans sa retraite, le noir l'estompait. En elle, rien ne changeait. Seule la lumière se retirait, telle une nappe blanche, une nappe de banquet, longue et harassée, qui glisse sur la table à la fin de la fête, sur le bois noir et nu. Elle récitait les cartes avec ses yeux. Elle connaissait tous leurs secrets, les contours, les personnages et les moindres nuances, que les ans n'avaient pas effacées. Elle s'attardait sur chaque détail, comme si c'était la première fois, comme si, depuis cette première fois, rien ne s'était passé, comme si le gouffre qui l'en séparait n'existait pas, n'était qu'un saut, qu'un vide, hors du temps, hors d'un temps qui aurait arrêté sa marche pour la reprendre là, maintenant, par le charme des photos entre ses doigts et des mots dans ses yeux. Figée dans son fauteuil, diaphane, impassible, elle égrenait les perles d'un chapelet d'images et disait les textes comme autant de prières, liturgie de leur vie dont il était le saint monté au ciel, pour lequel elle avait donné sa propre vie, renoncé au monde et à être femme, pour n'être plus que la sienne. Seules ses mains bougeaient. Ses pensées partaient des images et s'envolaient vers lui, dans l'éther des souvenirs, dans un conciliabule intime, miscellanées d'absence et de bientôt, peut-être, et dont personne ne saurait rien. Elle s'évadait de cette maison, elle était là sans plus y être. Elle avait abdiqué son corps et son fauteuil. Évadée du présent, transportée en d'autres lieux, dans l'immobilité de sa chair inutile, retirée dans la niche obscure de l'antan, elle témoignait sans témoins et rendait grâce sans fidèles. Elle était alors, elle était là-bas, elle n'était présente qu'à cette absence, absente au présent, présente au seul passé, ce passé fait existence, ce vécu que rien n'avait vaincu, pas même la vie. Elle était portée par l'air, retenue aux cartes comme à une rambarde, faible prise, timide et incertaine. Indécise. Elle retenait sa vie, avant de la rendre à qui de droit. Y tenait-elle encore ? N'était-ce pas sa vie qu'elle avait dans les mains, là, maintenant, son unique et véritable vie ? Avait-elle une vie à congédier, elle à qui la mort avait, si jeune, si tôt, donné quittance ? Elle revivait à défaut d'avoir vécu, ses mots et les photos, le premier chapitre d'une histoire dont les suivants restaient à écrire et qui, si souvent, lui étaient venus en songes, comme des visites à l'improviste, parfois distrayantes mais souvent contrariantes. On l'aurait dite statue, statue d'argile blanche et fragile, modelée par les ans, sculptée par la douleur et polie par l'espoir.

Samedi 22 mai 1915

Je viens de recevoir ta lettre qui m'a fait plaisir tu dis qu'il va venir un autre petit ou une fille on ne sais pas Cest bien une saleté d'être la pendan ce temp la plutôt que chez soi. Elle nous fera chié jusqu'au bout cette chierie de guerre. pour moi toujours de même pas de bile pour cela j'en ai reçu une des Cousin de Vassy Il ne fait pas bon à dire dans le pays où l'on est, il y en a plusieurs qui ont attrapé 15 jours de prison mais leurs lettres sont visitées parce qu'ils les portent sûrement au vaguemestre aujourd'hui a midi nous avons commencé une attaque épouvantable se soir on a apprit qu'à trois heures l'après-midi on avait gagné trois tranchées et puis ou je suis depuis presque six semaines ils ont établi un poste de secours pour les blessés il parait qu'il en arrive à toute minute hier soir d'autres qui était au repot depuis deux jours a fallut repartir il y en a soixante-quinze de la compagnie qui on était prit pour le renforcé pour moi j'ai encore la chance je ne demande pas mieux que d'y aller mais il vont peut-être venir nous cherché un de ses quatres matins on attend cela depuis longtemps, je vais commencer à revoir la guerre hier soir il a passé de l'artillerie il y avait deux canons soixante-quinze de renfort qui est venu une fois les autres parti J'ai reçu des nouvelles de Morel toujours en bonne santé il te souhaite bien le bonjour si je m'en réchappe il ne faut pas penser aller revoir le pays avant l'année prochaine je vous envoie des gros baisers à tout deux trois bien fort.

On était en plein dans les foins. C'était déjà pas facile d'ordinaire et là, avec un petit dans le ventre, ça l'était encore moins. Le docteur lui avait bien dit de se tenir tranquille, mais c'était pas possible. Comment aurait-elle fait ? Il y en avait du fourrage cette année-là, tellement qu'on se questionnait plutôt pour ne pas le perdre. Il aurait plus manqué qu'on vende des bêtes faute d'avoir pour les nourrir. On n'avait pas besoin de ça et c'était un sacré souci en moins de se dire qu'au soir tout serait rentré. C'était tout ce qui restait, sans ça tout s'arrêtait, tout. Sans ça ce serait maigre. C'était le grand minimum, elle était déjà bien assez descendue comme ça.

Cette fichue carte c'était celle du musée, celui d'Évreux toujours, un qui ne plaisantait pas, un cube avec un calot sur la tête, galonné de bas en haut. Elle l'avait trouvée un soir, en arrivant de chez le voisin, toute poisseuse du jour. Elle savait bien qu'elle arriverait. Elle était là.

C'était fini de se dire qu'on pouvait encore être content dans son malheur. Elle n'avait eu ni la force de la colère ni celle de l'abattement. C'était le moment, c'était attendu, c'était son tour et c'était comme ça. Elle l'avait rangée auprès des autres, elle s'était allongée et s'était endormie. Il pouvait mourir d'un moment à l'autre, à nouveau, voilà tout. C'était la vie, c'était devenu leur vie et ça l'était depuis trop longtemps déjà. Elle voulait s'endormir pour ne plus savoir, ne plus recevoir de lettres et ne plus en espérer. Elle voulait simplement dormir, dormir, dormir. Dormir sans un songe, dormir jusqu'à ce que tout soit fini, et se réveiller avec lui, évadés d'un cauchemar. Elle avait voulu disparaître, s'enterrer sous les draps brodés de leurs initiales, enlacées pour dire qu'ils ne se quitteraient pas. Tout ce mal. Tout ce mal de sa mère et de ses sœurs dont elle ne savait plus s'il était secours ou calvaire, là, sous ses yeux, tous les couchers et tous les levers, quand sa solitude donnait en grand. Ils n'auraient jamais dû être séparés, c'était pas prévu comme ça. L'intensité de juin l'énervait. Les nuits s'étiraient comme les jours, les rêves à la suite des pensées, tout aussi grinçants, acérés. Qu'elles avaient été longues, entre veille et mauvais sommeil, à ne plus savoir qu'attendre. Est-ce encore attendre, qu'ignorer ce qu'on attend, et pour quand on l'attend ? Est-ce attendre ou est-ce autre chose ? Dormir. Peut-être le remède à tout cela. Dormir, dormir, dormir. Mais elle s'était réveillée, et il n'était pas là. Il avait bien fallu se lever.

Les jours suivants avaient été terriblement longs, les plus longs jusqu'alors. Comment pouvaient-ils être autrement ? Plus de dix matins sans nouvelles. Presque deux semaines d'angoisse, à filer ce qui pouvait bien se passer, lui qui était si régulier. Jamais ça ne lui était arrivé, jamais, de rester si longtemps sans écrire, même presque rien, même un semblant. C'est long une journée quand le matin n'en demande que le matin d'après. Ça bardait, on le savait bien, ça finissait par arriver jusque-là, une grande bataille à ce qu'on disait, depuis le mois de mai, des semaines que ça durait. Et lui qu'était là-dedans et qui ne disait plus rien.

Bien des jours, elle avait envié tous ces gens habitués à ne pas en avoir, des nouvelles, parce que quand on en avait souvent et qu'on n'en avait plus c'était sûrement pire. On ne réalisait pas avant ça, c'était sans mots tellement c'était pas pensable, une noyade. Ah ça oui, elle s'en souvenait de ces jours-là. À chaque fois qu'il y en avait eu, elle s'était jetée sur le courrier, l'avait arraché des mains du facteur. Rien. Des cartes, des lettres. Des riens. Mais qu'avaient tous ces gens à lui écrire comme ça ? Elle n'en voulait pas de leurs histoires ! Elle n'en voulait pas ! Elle voulait les siennes ! Uniquement les siennes ! Et il n'en venait pas ! Il fallait qu'elles reviennent, il le fallait ! Il fallait qu'il en vienne, de son courrier à lui ! Son courrier et pas d'autre ! Ça ne valait rien le reste, non, ça ne valait rien !

Elle n'a pas vu le facteur. Elle est occupée aux poules et aux oies, rameutées autour d'elle. Après viendront les lapins. Elles ont bien de la chance ces bêtes-là, elles n'ont pas de raison de s'en faire. C'est rien la guerre pour elles, ça n'existe pas, ça ne change rien. Y'a bien des moments où on aimerait s'abandonner à la vie simple, à se douter de rien, où on changerait sa place avec une poule. Voilà où elle en est, rongée qu'elle est. Échanger sa vie contre celle d'une poule. Elle se sent si lasse et résignée. Après tout, elle a encore bien le droit de penser à des âneries, si ça lui fait du bien, si ça la débarrasse. C'est pourtant vrai, qu'est-ce qu'il y a de plus tranquille qu'une poule en des temps pareils ? Sortie le matin, rentrée le soir, à traîner dans l'herbe tout le jour, à manger quand ça lui chante, une fois du grain, une fois un ver. Dame, c'est bien elles les plus heureuses ! Alors elle se laisse aller. Et puis elle s'en moque de paraître bête, il n'y a personne dans sa tête, elle peut bien devenir folle, s'il y en a une qui peut c'est encore bien elle. Qui ne le deviendrait pas ? Elle aimerait bien les y voir ceux qui riraient de tout ça, sûr qu'elle aimerait bien. Personne ne peut comprendre. Personne ne peut même expliquer. Personne. Alors pourquoi elle ne pourrait pas avoir envie d'être une poule si ça lui chante ?

« J'ai une carte pour toi ! J'crois bien qu'c'est lui ! J'en suis même sûr. Regarde donc ! »

Il a crié derrière elle. Elle se retourne et le voit, empêtré dans sa hâte. Il court et s'époumone, une enveloppe à la main, la besace en débandade. Il le sait bien, lui, qu'elle jarnicote des nouvelles, qu'elle ne vit plus que pour ça et qu'elle en meurt ses heures. Tous les jours, il lui apporte des lettres, et tous les jours il voit la détresse. Si c'était la seule encore, mais il y en a tant d'autres. Alors il est fatigué lui aussi, fatigué de porter tout ça, toute cette déception qui déborde son sac. C'est éreintant de décevoir comme ça, si souvent, de voir les yeux tristes, d'entendre les mots las. Oh il sait bien que c'est pas sa faute, mais au final, au bout du bout, c'est bien lui que les gens attendent. Alors ce matin, à trier sa tournée, quand il a vu cette enveloppe, avec cette adresse, avec cette écriture, il a pensé à elle, il a su qu'il avait au moins un bout de bonheur à porter, une gorgée de mieux, et il s'est pressé d'arriver là.

« Je suis sûr que c'est lui, c'est tout de même bien son écriture, dame, je la reconnais encore assez maintenant ! »

Elle court aussi, lance ses sabots à s'en trouver pieds nus. Ils arrivent auprès. Il tend son bras. Elle tend le sien. Elle est à bout de forces et palpite l'enveloppe. Elle voit l'écriture, son écriture, la sienne et aucune autre. Il ne s'est pas trompé.

« C'est bien de lui c'est ça ? »

Elle hoche la tête comme sa bouche refuse. Alors elle reprend sa course. Les mains au tablier, elle se précipite vers la maison. Elle laisse le facteur là, seul, hébété. Elle ne veut pas qu'il sache, personne, pas maintenant. On ne sait pas les nouvelles d'abord. Non, elle ne veut pas son regard. Elle ne veut pas les questions de ses yeux, et surtout pas celles de sa bouche. Elle ne veut pas être obligée de répondre ou de mentir, elle ne veut pas qu'il devine par son corps, par le ton de son regard, les manières de ses lèvres ou la couleur de sa peau. Elle ne veut pas qu'il s'en aille avec la langue lourde. Il sera bien assez temps demain, de partager ce qu'elle voudra, avec qui elle voudra. Qu'il dise donc qu'elle a eu un courrier si ça lui chante, après tout, mais il n'aura rien d'autre, c'est déjà bien assez. Elle remonte les pommiers aussi vite qu'elle peut, une traînée dans le calme vert. Une tempête de lumière s'est emparée d'elle, elle a comme le soleil au bord des yeux, ça l'éblouit en dedans et elle ne voit presque plus rien.

Elle arrive à la porte, enfin. Tourner la clenche. Ah, maudite clenche qui ne fonctionne jamais quand il le faut ! Allez bon sang ! Voilà. Elle descend la petite marche, claque tout derrière elle, s'enferme dans la pénombre avec l'horloge comme seul témoin. Elle va à la bancelle, le long de la grande table. S'asseoir, retrouver du calme, juste un peu, reprendre son souffle, y voir mieux. Les coudes en appui, elle fourre déjà son doigt dans le pli et étripe l'enveloppe. Elle a trop attendu, oui, elle a trop attendu, tant pis pour l'enveloppe, tant pis si elle est gâchée, elle veut lire, lire vite et rien d'autre. L'ouverture juste assez grande, elle s'essuie machinalement les doigts et sort la carte. Un port ? Des bateaux ?

76. LE TREPORT (S.-Inf) – Le Port

Mais qu'est-ce que ça veut dire ? Il n'est plus là-bas ? C'est ça, il n'est plus là-bas ? Elle ne comprend plus rien, elle ne comprend plus rien à tout ça. Comment est-il passé de là-bas au bord de la mer ? Sans rien lui dire ? Comment c'est possible ? Ou alors c'est une carte de hasard ? Il n'aura trouvé que ça ? Ça serait possible ça, de trouver une carte du Tréport du côté d'Arras ? Comment ça serait possible ? Il l'aura commercée à un camarade qu'aura passé par là ? C'est ça ? C'est ça ou c'est autre chose ? L'agitation la reprend de plus belle, tout se bouscule dans sa tête, tout se bouscule mais rien n'arrive. Le nord, le silence, le Tréport, tout ça en enfilade et sans faire-part, ça fait beaucoup, ça fait même un peu trop, beaucoup trop, beaucoup trop de questions qui coursent d'autres questions, qui se tapent et qui se culbutent, dans une grande pagaille de pourquoi et de comment qui la tiraillent d'inquiétudes en espérances. Elle ne comprend rien. Rien. Cette photo l'assomme. Non, vraiment, elle n'y comprend rien. Alors très vite, elle retourne la carte.

Le Tréport – 2 juin 1915
Petite femme chérie,
Deux mots pour te faire parvenir que je suis à l'Hopital depuis cette nuit à deux heures du matin je suis à Tréport

sur le bord de la mer dans la chambre où je suis j'ai qu'a regardé par la fenêtre et je voit la mer elle et a vingt mètres il y a des bateau à voiles qui vont à la pêche. Je pense y être une grande partie de ce mois. J'ai été blessé au bras droit au-dessus du coude comme on a attaqué le dix-sept. Ca été une saleté de blessure j'ai perdu connaissance un moment je croit il ont voulu me coupé le bras tout en haut j'ai pas voulu laissé faire comment je ferait moi avec un seul bras apré la guerre il se rendent pas conte s'est plus simple pour eux nous il s'en foute. Pas de bile pour moi. Fait attention à ton ventre le docteur a du te dire. Ton mari qui pense à toi et à son fils et au bébé. Gros baisers à tous.

Blessé ! Le voilà blessé maintenant ! Il ne manquait plus que ça ! Et au bras encore ! Blessé au bras ! Et ils voulaient lui couper ceux-là !

Les mots l'ont figée sur la bancelle. Seuls ses doigts flageolent toujours. Ses yeux battent le papier. Elle lit, lit encore, relit toujours, elle ne peut s'arrêter de lire. D'abord terrassée, elle essaie d'arracher à chaque mot tout ce qu'il peut lui dire. Tout. Elle comprend désormais, elle comprend bien pourquoi il est rendu à la mer. Mais ce n'est pas assez, elle en veut plus, c'est bien trop court. Elle veut plus que les mots, elle veut leur jus, les faire parler jusqu'à leur dernière goutte, elle veut les épuiser. Alors elle prend chacun d'eux et elle le pile, l'écrase avec ses yeux et toute sa rage de savoir. Elle les passe et les repasse au pressoir de sa tête, elle les lamine de ses idées, les écartèle de ses questions, pour mieux voir ce qu'ils ont dans le ventre et mieux sentir leurs tripes. Elle en veut chaque effluve et chaque relent, des plus subtils au plus fétides. Elle est prête à tout, à tout recevoir, à tout endurer, elle ne fuira pas, elle recevra tout au visage, même l'odieux, même le détestable, même l'affolant. Il est blessé, oui, il est blessé. Mais le bras n'est pas coupé. Non, il n'est pas coupé. Il est entier encore. Et puis il peut écrire. Oui, c'est bien son écriture, c'est bien lui, c'est pas un autre. Ça veut quand même bien dire que ça ne va pas si mal. Il est valide, c'est pas possible autrement qu'il soit encore valide, il le faut de toute façon, sans quoi il ne pourrait pas écrire, on ne peut pas écrire quand on n'est plus valide, on est couché sur un lit et on ne peut pas bouger. Lui il n'est pas comme ça, c'est sûr qu'il n'est pas comme ça s'il peut toujours écrire. Il ne pourrait pas sinon. Et puis il a l'air d'avoir encore sa tête. Il se souvient du jour quand c'est arrivé, il ne s'est pas laissé faire non plus, il n'a pas voulu. Il devait être bien assez vivant pour ne pas se laisser faire comme ça, avec tous ces docteurs. Et il avait eu bien raison, ça, c'est sûr ! A-t-on déjà vu qu'on coupait un bras à des gens comme eux ? Comment ils feraient avec un bras en moins ? Comment ils feraient ? Ça serait la mort de n'avoir plus qu'un bras, ça serait comme la mort dans ce genre de métier là, une belle sorte de mort, ça serait déjà plus tout à fait une vie. Non, ça ne serait plus tout à fait une vie. Et puis il a l'air de se trouver bien aussi. Dame, il ne se plaint pas à voir la mer comme ça, par la fenêtre. C'est pas tous les jours qu'on la voit la mer par là. Elle ne l'a jamais vue d'ailleurs, elle, la mer, jamais. Elle ne sait même pas si lui non plus, ils n'en ont jamais parlé, mais sans doute pas, il l'aurait dit sinon. On ne parle pas de ça, on n'y va pas à la mer, on n'a pas le temps. Et pour quoi faire on irait ?

Qu'est-ce qu'ils y feraient, eux, à la mer ? Ils iraient pas se baigner, c'est pas pour eux, pas pour les gens comme eux. Ils ne savent pas nager de toute manière, alors à quoi bon, on n'a pas besoin de faire toute une équipée pour se tremper les pieds, on a les mares et la rivière, c'est bien assez. Et puis il faut une tenue exprès, il ne manquerait plus que d'en acheter une, elle ne savait même pas où ça se trouvait. Non, il n'a pas l'air mal au final, il a l'air de s'en trouver bien d'être blessé.

Au fil des réflexions, elle retrouve un peu de calme. Tout cela la rassure. C'est sûr que ça fait un choc sur le moment, tout ça, tout d'un coup comme ça, toute cette fournée de nouvelles auxquelles on ne s'attend pas à force de les attendre. Mais elle a compris, et elle comprend toujours mieux au fil des mots qui radotent ses yeux. Elle ne doit pas se faire de tracas, il lui dit d'ailleurs, il faut le croire, il le faut. C'est vrai après tout, tant qu'il a son bras, mieux vaut encore l'hôpital que le reste. Une blessure comme ça, quand on s'en remet c'est un bout de temps de gagné, oui, c'est encore des jours de pris, ça fait de la vie en prime. Il lui a dit d'ailleurs une fois, elle s'en souvient, que d'être blessé sans trop c'est même à espérer dans certains jours, que ça permet de se mettre à l'abri, au chaud, à dormir chaud, à manger chaud, à penser chaud. Ils en ont souvent envie ses camarades qu'il lui a dit, c'est des causeries qu'ils ont, à ce qu'il paraît, quand c'est mauvais, que ça serait bien d'être blessé, que ça éviterait de se faire tuer pendant un moment. Et pour un peu qu'on ait un rétablissement dans un endroit aimable, c'est le gros lot, la vie en grand, les grands-ducs et les petits plaisirs.

C'est comme des vacances, oui c'est ça, c'est comme des vacances, eux qui ne savent pas ce que c'est, une vie de pacha, rien à faire, tout à se reposer, à épaissir, à profiter et à flâner. L'extase, c'est quand ça va sur une réforme. Mais c'est pas simple non plus. Il en faut assez pour la réforme, mais pas trop pour l'impotence. Il faut être blessé comme il faut, c'est toute une histoire de précision, il faut y mettre de l'art, être méticuleux à la taillade, pointilleux de l'écorchure. Il y faut de la chance aussi, ça ne se calcule pas tout comme on veut. Alors il y en a qui s'essaient au métier à ce qu'on dit, qui se blessent exprès, un coup de fusil dans le creux de la main, dans un pied ou dans un doigt. Faut-il que ce soit lamentable pour s'infliger ça, se mutiler soi-même, se clopiner la vie. Mais lui, il peut pas se couler à ça, c'est pas possible, il a besoin de rester complet, il peut pas risquer le diable, ça serait se paver l'enfer. C'est vrai qu'elles aguichent bien des fois les blessures, elles racolent dur, elles font les roulures, elles font de l'œil, elles frétillent, elles excitent la débauche, elles attirent l'homme dans un coin, un coin bien sombre, à l'abri des regards, pour lui chauffer le poil et lui flatter le corps. Et là, il n'y pense plus, il n'a plus idée à rien, il envoie tout valser et on peut bien l'y voir si ça nous dit, il s'offre, il se donne, il s'abonde, elles en font ce qui leur chante, à leur bon plaisir, et elles gardent la monnaie, la petite monnaie de sa vie, la grosse des fois aussi. Alors, tout compte fait, c'est une riche nouvelle cette blessure, c'est même encore le mieux. Une blessure bien comme il faut, et honnête avec ça, réglementaire, rien à y dire, rien à y regarder, une blessure de soldat, une blessure comme on les aime dans les grandes huiles, képis bien hauts, avec médailles et citations. Si au moins elle allongeait jusqu'à ce que tout soit quitte ! Pour être blessé autant prendre son temps, une remise patiente, un redressement prudent, un zèle placide, et sans se presser encore. Ils auront bien assez tôt besoin de le faire tuer. Et avec un peu de chance, il reviendra un peu chez lui. Ah, s'il pouvait en avoir une par la même occasion, il reviendrait ici, on se retrouverait, il verrait le petit. Ça fait tellement longtemps. Non, il n'y a pas d'urgence à guérir, surtout pas, il ne faut qu'il y en ait, on sait bien ce que ça veut dire de guérir, c'est pas bon de guérir en des temps comme ça.

Elle pose la carte sur la table. Ça doit être beau la mer. C'est calme, c'est reposant quand c'est comme sur la photo. Elle va mieux. Elle s'apaise. L'orage est passé, pour cette fois sans trop de dégâts. Le blé se tient debout, le tabac ne l'a pas couché. C'est beau le blé debout. C'est comme une mer, leur mer à eux, la mer d'ici, ça se lascive pareil, dans le vent. Ça la calme la mer, ça la calme, comme les froufrous d'un champ de blé. Elle regarde les bateaux qui partent à la pêche. L'un a sa grande voile, carrée, sombre. De quelle couleur peut-elle bien être ? Rouge ? C'est possible, c'est du moins ce qu'elle devine. Il est encore assez large ce bateau, la coque blanche avec deux bandes foncées en haut. Il a deux mâts, dont l'autre avec sa voile toujours pliée et un drapeau français. Elle essaie de compter les hommes à bord. Trois au moins, à coup sûr. Il y a d'autres barques, plus à gauche. Elles sont au quai. Ça fait comme une muraille tellement l'eau est en bas. Il y a des hommes en haut, assez nombreux, qui causent sous eux avec ceux dans les bateaux. Tout est paisible. Il n'y a pas la guerre. Elle n'a pas souvenance d'en avoir déjà reçu où il n'y avait pas la guerre. Elle y réfléchit bien mais elle ne s'en souvient pas. Ça fait tellement de bien qu'il n'y ait pas la guerre, pour une fois, tellement de bien. Cette carte lui fait oublier, et rien que pour cela elle est précieuse. C'est la première fois qu'elle n'y pense plus. Elle respire ce port, cette eau lisse, ces hommes qui partent, qui ont laissé leurs femmes et leurs enfants à la maison, si tranquilles, et qui reviendront le soir. Ça ne doit pas être un métier facile ça, pêcheur. Ça doit être dur, sur l'eau tout le temps, par tous les temps. Ça doit être aussi difficile que la culture, un métier du dehors, un métier de corps, comme le leur. Elle pense à cela. Elle se dit que la mer doit être comme la terre, qu'elle a une couleur, une odeur et une voix. Elle se montre quand on sait la voir, elle a un langage quand on sait le comprendre, une chair, qu'il faut savoir toucher. Elles ne se donnent pas à qui leur demande, mais à qui sait les convier, et seulement à ceux-là. Il faut s'en occuper, les choyer, elles sont vivantes, ça se dorlote, ça s'aime.

Ils auraient peut-être bien des choses à se dire s'ils pouvaient se parler avec les hommes sur les bateaux, oui, peut-être bien. Elle se dit que, quand la guerre sera finie, ils pourraient peut-être penser à y aller, voir la mer, les bateaux, parler avec les pêcheurs. Après tout, il doit y avoir des choses intéressantes à y faire. Elle flâne sur ce port, portée par la lumière dormante de sa maison, bercée par le clapot de l'horloge, bercée par ce temps régulier qui leur revient. Elle se sent bien, elle est en paix.

Il est blessé. C'est une bonne nouvelle qui est venue ce matin.

Ça l'avait délivrée qu'il soit blessé. Y'avait pas de mal à ça, c'était pareil pour tout le monde. Avec ce qu'on vivait, quand on apprenait que son homme était blessé et qu'il s'en remettrait, et bien on se réjouissait. Elle n'éprouvait plus la même chose à regarder cette carte désormais. C'était différent, forcément. Depuis elle l'avait vue la mer, bien des fois, mais ça n'avait pas été pareil, pas comme elle l'avait rêvé. Non, ça n'avait pas été pareil. Ça ne pouvait pas l'être.

Ça avait été un bel été au final, le deuxième, mais on y serait bon encore pour l'hiver. On commençait à se soucier des grains et avec son ventre elle ne pourrait pas, ce ne serait pas raisonnable, le médecin avait bien insisté. Autant pour les foins ça avait été possible, autant là elle ne pourrait pas, ni chez elle ni ailleurs. Elle aiderait d'une autre façon, à la cuisine probablement, ce serait déjà ça.

Oh, ça restait dur sur le travail, ça y'avait rien à y faire, pour le travail ça ne pouvait être que dur. Mais pour le repos des idées ça avait été un bel été, aussi beau qu'il pouvait l'être. Elle se remémorait tout cela très bien, chacune de ces journées, tellement moins lourdes à traîner, tellement moins dures à rouler. Elle s'en souvenait si clair, elle le revivait si fort, emportée par le film qui se jouait en elle, qu'elle ne remarqua pas cet ultime rai de soleil qui, dans cette touffeur qu'elle aurait reconnue entre toutes, celle qui réchauffe l'orage, vint incendier une dernière fois le jardin et exploser sur les vitres. Tout se consumait. Les graviers faisaient flammèches, les pommiers

131

crachaient le feu, les haies brûlaient, la rotonde s'ouvrait comme la porte sinistre au pourtour flambant de l'enfer. Les fleurs de la couverture, elles-mêmes, fondaient leurs derniers éclats. Cela dura quelques secondes, lente déflagration, calme et silencieuse, qui souffle la lumière avant d'ensevelir d'ombre. Elle ne vit pas cela, peut-être ne le voulait-elle pas. Elle revivait cet été-là, ces lumières-là, cette chaleur-là. Il lui racontait sa convalescence, les nouveaux blessés qui arrivaient, avec le sourire quand cela se pouvait, heureux de leur sort, et les malheureux guéris qui repartaient, à regret et résignés. Il lui disait qu'il était heureux d'être en vie, tout simplement, heureux de vivre et de s'aller à vivre.

Ça lui avait fait drôle de lire tout ça, c'était pas commun, elle qui s'échinait, toujours plus à la tâche. Ça faisait un drôle de contraste. Mais elle ne lui en avait pas voulu, elle ne pouvait pas lui en vouloir, ça aurait encore été la meilleure ça, de lui en vouloir. Il pouvait bien avoir la belle vie après tout ça, il l'avait bien gagnée, elle le savait bien, il avait quand même bien le droit de jouir, de se refaire la cerise, un grand panier de cerises, bien noires et bien juteuses, qui collent aux doigts et tâches aux lèvres, comme celles de chez eux.

Elle tenait à présent une carte singulière, tout en couleurs, entièrement, la première qu'elle avait reçue comme ça. Ça lui avait fait quelque chose. Tout à fait à droite, le port reparaissait, avec ses barques à voiles jaunes, hissées cette fois. Plein centre se poussait le quai, coupé en deux par une rangée de lumières avec, sur l'autre côté, des maisons hautes chaussées de boutiques dont les auvents causaient aux voiles.

Ça devait être une grande ville Le Tréport, il y avait beaucoup de magasins, elle n'en avait jamais tant vus à l'époque, avec un tramway aussi, il y avait des rails entre les lampes et les maisons. Et tout ce monde, avec ça. Ça en faisait de la compagnie au bord de l'eau, à saluer les bateaux. Par ici, c'était pas souvent qu'on en croisait tant, au grand marché, quand on y allait, ou dans les foires à l'occasion, dans les fêtes aussi. Mais c'était pas tous les jours. Où ils étaient on ne voyait pas grand monde, un peu plus dans le bourg c'est sûr, mais pas la foule comme ça. Au fond, au bout du quai, un peu à l'écart de l'alignement de maisons, il y avait une grande bâtisse. Entre celle-ci et la dernière maison, on distinguait un minuscule bâtiment blanc, là-bas, tout au bout, tellement petit qu'on le voyait à peine et qu'elle ne l'aurait probablement pas remarqué s'il n'avait pas écrit juste au-dessus, avec une petite flèche : « ou je suis ».

Il était donc là. Cette chose toute blanche qui paraissait si petite était l'hôpital où on l'avait conduit. Ça l'avait surprise en ouvrant cette carte de voir cette inscription de sa main, qui disait exactement où il était. D'habitude, elle n'avait qu'un nom d'endroit, ça ne faisait pas pareil. De voir ça, ça lui avait donné l'impression d'y être avec lui, de vraiment connaître l'endroit. Elle en distinguait presque les minuscules fenêtres et elle se plaisait à penser que, peut-être, il était derrière l'une d'elles, et que, peut-être encore, il était lui-même sur cette image, entre ses doigts, minuscule, imperceptible, mais bien présent.

« La mer ». C'est ce qu'il avait écrit aussi, sur la bande bleue qui barrait le fond, sous le ciel, derrière tout le reste, le quai, les maisons, le tramway. Elle s'en doutait bien que c'était là mer ! Mais quelle idée d'écrire ça ! Pour l'hôpital, elle pouvait bien comprendre, elle n'aurait pas pu deviner, mais pour la mer ! Ça se comprenait bien aussi, ça avait dû lui faire drôle de la voir, comme ça, d'un coup, pour la première fois, au sortir des tranchées, et de dormir auprès avec ça. Il était content, c'est ça, il était content.

10 juillet 1915

Petite femme chérie,

Je fais réponse à ta lettre du 5 juillet que je viens de recevoir qui me fait plaisir de savoir tous en bonne santé et que tu vois un peu ton ventre maintenant, pour moi la santé est toujours très bonnes. Comme nouvelles ses toujours les mêmes sauf que je ne conte pas plus de huits jours à l'Hopital maintenant si tu peux venir cest vite et encore car le major en envoit qui ne sont même pas guéri et les permissions sont supprimées pour ma blessure je ne peut encore pas fermé la main et je crois qu'elle ne fermera jamais comme l'autre car cela me tire trop sur les nerfs. Pour le moment, je suis très heureux comme je n'ai jamais été, la nourriture est très bonne, très bien couché, je suis plus heureux que toi. Je peux sortir de midi à 5 heures. Le matin, la visite est de 8 à 9 heures. Ils me font le pansement tous les deux jours, cela va encore être guéri trop vite. Pour aller voir Héroult n'est pas facile car il y a quatre kilomètres a y aller ses vrai qu'il y a le tramway mais nous y avons pas le droit et celui qui se fait prendre ses la porte et comme je comte encore environ huit jours à être heureux et peut être une petite permission tu comprends que je ne vais pas faire le con tant pire si je ne peut pas le voir. Doux sur les corvées comme t'es Gros baisers de patience à tous trois et bonne santé à tous.

Elle a pris sa main dans les siennes, cette peau rêche et calleuse. Qu'ils lui font du bien ses doigts, ses doigts à lui, inusables, blottis au creux de ses doigts à elle. Sa peau contre sa peau, juste un peu, ce tout petit peu de peau, ce tellement trop peu, cette étreinte minuscule, ce rudiment de corps à corps. Elle est venue le retrouver, elle est venue ici, si loin, sur ce bord de mer, elle s'est organisée, elle a trouvé pour l'aider et elle a trouvé pour l'amener. Elle a fait le voyage, il le fallait. Il est si près, après tout, si près quand seule la distance les éloignait et quand, en d'autres temps, il s'en retournera nulle part, à rouler entre la vie et la mort, attaché sur la roue du hasard. Il sera tellement loin alors, au-delà de toute distance, dans ce qui sépare un où on est d'un on ne sait pas. Elle est venue. Elle a reconnu la petite construction blanche. Elle est entrée. Il était là, il l'attendait, dans le jardin, au bord de l'eau. Qu'ils sont bons ces doigts encore malhabiles. Elle les frotte, elle les réchauffe, elle veut leur redonner leur vie, forte et adroite. C'est vrai que c'est calme la mer. C'est beau et c'est calme. Elle n'a plus besoin de la mettre en idées, elle la voit, elle l'entend, elle la sent. Les doigts des pêcheurs doivent être comme les siens, larges et rugueux, cependant refuges insoupçonnés d'une douceur qui ne veut qu'être apprivoisée. Quand il fait beau, comme aujourd'hui, elle caresse, la mer, elle caresse les galets, elle les enveloppe, elle les découvre, puis elle recommence. Ils se réchauffent les uns les autres, ils se serrent, ils s'échangent. L'eau polit les cailloux et les cailloux peignent l'eau. Ses mains à lui sont comme les galets, ses doigts à elle sont comme la mer. Alors elle les caresse au rythme du flot. Elle écoute les vaguelettes, si régulières, elle les écoute et se laisse emporter. Il est la plage et elle est la mer. Les galets dansent dans la mer, ils dansent et ils chantent, la mer les met en vie. Il est la terre et elle est l'eau. Lui aussi a une couleur, une odeur et une voix, qui lui réappartiennent. Et tout cela se brasse en elle. La terre, la mer, l'eau, les galets, les odeurs, les couleurs, les bruits, les voix, les battements des vagues, ceux de son cœur, ses yeux, si vivants, ses mots, si rares. Elle est avec lui. Ils sont ensemble. Elle ne sait plus où elle est, elle n'est qu'avec lui, pour quelques heures, pour quelques vagues, elle n'est qu'avec lui et c'est ailleurs, c'est partout, c'est dans tout ce qu'elle a en elle, c'est dans tout ce qui est en lui, c'est dans tout ce qui se mélange en eux.

Elle aurait tellement aimé le rejoindre, là-bas, lui rendre visite, le voir dans son hôpital blanc, dans ce tout petit bâtiment blanc, là, tout au fond de la carte. Elle aurait tellement aimé. Ce n'était pas si loin après tout. Mais il aurait fallu pouvoir, s'organiser, trouver quelqu'un pour les bêtes, mais qui ? Oui qui ? Il aurait aussi fallu trouver pour y aller. Ce n'était pas si loin le Tréport, mais pas tout à côté non plus. Non, ce n'était pas si près. Il aurait fallu voir si on pouvait joindre par le train, c'était même pas sûr et c'était compliqué toute seule, elle n'avait pas l'habitude, elle ne l'avait jamais pris. Ou alors trouver une auto ou quelque chose comme ça. Elle ne savait pas, ça ne s'inventait pas, il aurait fallu demander de l'aide, une fois de plus. Et puis ça ne se faisait pas en un jour, c'était une expédition, une vraie expédition, il aurait fallu trouver à coucher, ça coûtait cher. Et puis c'était la saison en plein.

Alors elle n'y était pas allée. Elle n'avait pas vu le bâtiment blanc au bord de la mer, elle n'y était pas entrée, elle ne l'avait pas retrouvé dans le jardin, elle n'avait pas pris ses mains calleuses, portée par le refrain du rivage. Elle n'avait pas uni la terre et la mer. Ça n'avait pas été possible.

Ça avait été une pierre de plus dans son sac. C'était pas grand monde qui pouvait visiter les blessés, même quand c'était pas si loin. Les autres espéraient une permission et c'est là-dessus qu'il avait fallu compter, pour que lui fasse le trajet. À vrai dire, on n'espérait pas trop, on avait appris, ils n'en voyaient pas la couleur les hommes de par ici, ou à peine, on voyait bien qu'on ne les voyait plus. Alors on espérait un petit coup de chance, comme ça comme pour le reste. Juste un petit coup de chance.

Le Tréport, Le Tréport, Le Tréport. Elle n'y était pas allée mais elle l'avait vu sous toutes les coutures, Le Tréport ! Ça avait l'air assez joli, avec toutes ces maisons pleines de couleurs. Ça changeait du granit. Et puis la grande plage et, surtout, les immenses falaises blanches derrière.

C'était pas rien ces falaises. Elles étaient bien plus hautes que les maisons, bien plus hautes. Il y avait même un funiculaire pour y monter, comme ils appelaient ça. Ils en avaient pas chez eux, des falaises comme ça, ça c'est sûr qu'ils en avaient pas. C'était pas tout plat chez eux, c'était même pas plat du tout, mais c'était plutôt en collines d'herbe, toutes quadrillées de haies et de chemins creux. Si elle y était allée, ça lui aurait peut-être bien fait peur ces grandes falaises, oui, peut être bien. Ça devait être inquiétant de se dire qu'on vit tranquille, sans rien demander à personne, et là, tout prêt, il y a ces choses immenses, colossales, qui se montent au-dessus de vous, vous dépassent, vous dominent, qui peuvent vous tomber dessus, comme ça, sans qu'on n'y puisse rien, parce que c'était comme ça et que c'était là depuis toujours, et qu'on croyait que c'était indestructible mais que ça ne l'était pas. Alors peut-être aussi qu'on se dit que c'est mieux de vivre en haut, que c'est plus sûr, et on s'y met, on porte sa peine, on monte la pente, on se donne de l'air, du bon air du large qui fait du bien, là-haut, plein les narines et plein la tête. Mais un beau jour, le bord de la falaise tombe aussi, il tombe malgré tout, et ça ne change rien qu'on soit en haut ou qu'on soit en bas. Alors on se trouve au bord du précipice quand on croyait être bien, en lieu sûr, et il ne faut qu'un rien pour

tomber et finir écrasé, une nouvelle fois. C'est donc ça la vie ?
La crainte que des falaises nous écrasent ?

17 juillet 1915

Je fais réponse à ta lettre du 12 que j'ai reçu hier avec plaisir de vous savoir en bonne santé avec le bébé qui grossi bien pour moi la santé et très bonne sauf qu'il faudra se mettre une grande ceinture pour les permissions elles sont supprimées et tous ceux qui sont a l'Hopital par blessure il reparte au front sans perms, hier matin il en est parti une trentaine qui sont arrivés comme moi-même une grande partie pas guéri et sans perms sur cent cinquante que nous étions les premiers jours nous ne somme pas plus de cinquante maintenant. Pour moi je ne comte pas en avoir maintenant a moins que nous sommes bien moins nombreux mais je ne croit pas. Ca va etre la merde jusqu'au bout et le petit sera né que je n'aurez pas vu ton bidon. Ce matin le major ma passé la visite il ma dit que je resterais encore quelques jours mais eux les jours ne sont pas longs sa peut très bien être que cinq ou six jours comme dix ou quinze mais la semaine prochaine je vais être bon pour retourné voir les copains. Il aurai fallu que tu vienne mais cest pas possible J'ai était me promené dans la campagne autrement dans la vile ces tous des richard in ne font rien il sont toute les après-midi assis sur la plage a voir cela sa dégoutte on ne dirais pas que ses la guerre. Ca t'aurai dégoutté aussi si t'avais pu venir. Ton poilu qui vous aime fors et gros baisers sur ton ventre et à mon gars.

Ça, on pouvait bien dire que ça avait l'air d'être tous riches et compagnie. Elle n'avait pas eu besoin d'y aller, ça se voyait encore assez. C'étaient toutes dames en grande tenue, robes longues à dentelle et beaux chapeaux, et des messieurs en costumes, avec des gilets en dessous et des chapeaux aussi. Ils avaient pas l'air de s'en faire, ah ça non, c'étaient pas les soucis qui devaient les empêcher de dormir pendant que lui il ne pouvait pas faire exprès de ne pas guérir. On n'aurait pas dit que c'était la guerre pour tout le monde, vraiment pas. Tous ces gens par devant, qui s'amusaient, qui se promenaient, la belle vie, la vie tranquille, la coulée douce, à mener grand train, à jouer des galets, à les sautiller sur l'eau, à déguster le soleil et à siroter la mer, pendant que les autres comme eux, par derrière, pataugeaient, s'enfonçaient à mesure, buvaient la vase, trinquaient avec la gueuse, toujours les mêmes pour que ce soit plus simple. C'était pas assez que ce soit la guerre, il fallait encore qu'on la partage pas. Y'avait bien des endroits où les hommes ne partaient pas autant, on le voyait bien, et puis quand ils partaient c'était pas pour se faire tuer, c'était bien au chaud, dans des bureaux, à donner des ordres, à gribouiller, à causer, à faire les importants, à mieux savoir que tout le reste. Et ils ont qu'à faire ci, et pourquoi ils font pas ça ? et c'est grand Dieu pas compliqué ! On le voyait bien, on n'était pas idiot. Il y avait ceux qu'étaient bons à se faire tuer et il y avait les autres, ceux qu'il fallait pas qu'ils se salissent. Et avec ça, ceux qu'étaient bons à se faire tuer il fallait encore qu'ils s'arrangent à donner à manger à ceux-là, à nourrir la fête, à rassasier la noce, avec banquet sur la plage et danse au grand air des falaises. C'était bien commode cette manie d'envoyer être tués ceux qui donnaient à manger !

Elle était bien contente de ne pas y être allée au Tréport, tout ça lui aurait retourné le cœur. Et puis qu'est-ce qu'elle aurait fait au milieu de tout ce monde ? Elle aurait eu l'air de quoi ? Elle n'avait pas de tenue comme ça, on l'aurait regardée, on l'aurait jugée, elle se serait sentie comme une tâche sur un col blanc, un pâté dans un grand tableau de bien-être, un hoquet dans le tout va bien. On lui aurait enlevé sa fierté si elle était allée là-bas. Elle avait de quoi être fière pourtant, ah ça oui, elle pouvait bien être fière, épouse de soldat, femme de poilu, d'un homme, un vrai, qui se battait, qui se luttait pour le pays, qu'était blessé en attendant pire, pour eux tous, là, dans leurs belles tenues, bien propres, à ménager leurs souliers, à l'abri des ombrelles, dans le funiculaire pour monter les falaises quand leurs hommes, à elles, montaient à l'assaut. Et elles, leurs femmes, est-ce qu'elles avaient le temps pour les galets et pour le funiculaire ? Elle n'avait même pas visité son blessé, elle, même pas un jour. Oui, c'était peut-être aussi bien qu'elle n'y soit pas allée. Ça lui avait évité d'être une faute dans le mauvais goût et c'était bien comme ça.

Il avait eu de la chance, ça avait duré un peu plus long que ce qu'il craignait, histoire de bien refaire bouger ses doigts. C'était important des bons doigts, sans ça on tuait moins bien. Et puis ça pouvait bien tomber aussi, parce que les grains arrivaient.

C'était une sacrée tournée ça les battages, il y fallait du monde. C'était pas qu'on en faisait tant mais il en fallait tout de même assez, pour vendre du blé à farine, et aussi pour la basse-cour, de l'avoine pour le bétail, du sarrasin pour les galettes et, surtout, de l'orge pour les cochons. Ça s'emmanchait tout l'été, sans un moment pour souffler. Alors où il en était on commençait à se dire que ça serait bien l'aubaine pour une permission spéciale, à défaut d'une ordinaire. Ça commençait à se voir les permissions de récoltes, on entendait dire, alors on lui en aurait bien une, on en parlait, on faisait des plans, on se donnait des raisons.

Le 25 juillet 1915

Je suis toujours en bonne santé et je désire que ma carte te trouvera tous de même. Je t'envoi ces quelques lignes pour te dire de m'envoyé un certificat le plus tôt possible pour avoir une permission de quinze jours par le quel que tu peut m'occuper demande cela comme permission de moisson ou bien si le maire ne veut pas qu'il trouve que la moisson est faite demande pour le battage des grains je peut l'avoir facilement demande toujours pour la moisson en premier car si je suis encore

142

quelque temps au dépôt je pourrai en avoir une autre pour le battages j'était pour demandé quatre jours et puis il faut avoir quinze et après cela encore sept jours au lieu de rejoindre ma compagnie. Il faut faire vite mais tranquille quand même avec ton ventre Gros baisers de courage à ma petite femme, à son bébé et à mon fils.

25 juillet 1915 – 8 heures du soir
Pour la deuxième fois aujourd'hui cela va te faire demandé qu'est-ce qu'il y a, dans cette salle boîte là j'en aprend a toute minute je t'avais écrit a trois heures cette après-midi pour un certificat de permission maintenant ses plus le même a la place de le demandé au maire si cela plais à Monsieur Guillouette explique lui cela un peut comme il faut d'abord il doit le savoir a la place de toi qui la demande il faut que sa soit lui qui la demande par lequel tu dis que tu as besoin de moi ou que tu peut m'occuper pour quinze jours. Grands baisers à tous deux.

Deux du même jour c'était pas commun. Surtout, il s'agitait. Il devait être sur le point de partir d'un coup, le médecin avait dû lui dire qu'il était fin bon. Et il attendait d'elle encore, il fallait qu'elle réussisse ça, avoir ce certificat, et vite, c'était important, c'était même au-dessus de ça.

Il avait fallu se débattre à nouveau, tenter d'obtenir un papier, un papier de plus, un papier pour vivre, un papier pour ne pas mourir, pas encore, pas tout de suite, pas déjà. Elle ne savait pas comment ça se passait, personne d'ailleurs, c'était nouveau ces histoires. Alors elle était allée voir, tout de suite, il le fallait, c'était urgent, il ne fallait pas qu'il reparte tout de suite, il ne fallait surtout pas.

Elle avait vu du monde, on avait discuté, ça pour discuter on avait discuté, tout ça n'était pas clair, on disait que c'était uniquement pour la territoriale, ça ne lui disait rien à elle, la territoriale, c'était quoi la territoriale ? Est-ce qu'elle savait s'il était dans la territoriale ! D'où elle pouvait savoir s'il était dans la territoriale ! Et puis le maire était arrivé, qui semblait être mieux au courant, c'était heureux puisqu'il était le maire. Alors il lui avait dit. Il lui avait dit que la territoriale c'était pour les plus vieux, ceux d'au moins trente-quatre ans, il lui avait dit, oui, au moins trente-quatre ans, ceux qui restaient derrière. Son homme était de l'active, c'est sûr, puisqu'il était bien plus jeune, c'était sûr qu'il était de l'active et pas de la territoriale. Tout ça pour dire que c'était pas pour lui. Elle avait insisté, elle lui avait demandé s'il était sûr, bien sûr, elle avait voulu qu'il vérifie, c'était sa dernière chance qu'elle lui avait dit, sa dernière chance, elle en était certaine, elle en était convaincue, il ne fallait pas qu'il reparte, il avait eu de la chance une fois, il n'en aurait pas une autre, ça n'existait pas d'avoir de la chance deux fois comme ça, s'il y retournait il serait tué, il avait besoin de ce certificat, il avait besoin de rentrer un peu, et elle aussi d'ailleurs elle avait besoin qu'il revienne, il le savait bien le maire qu'elle en avait besoin, et même plus que ça, grosse comme elle était, que toutes les fermes en avaient besoin, toutes les femmes, toute la commune, comment on allait faire pour les grains si les hommes ne revenaient pas, comment on allait faire bon sang, il le savait bien lui aussi qu'on n'allait pas s'en sortir comme ça, qu'on risquait de perdre les récoltes, il le savait bien, il était paysan, comme eux, il savait ce que c'était ! Elle avait bataillé, il avait demandé le numéro de son régiment, cent vingt-huit elle avait répondu, cent vingt-huit, elle le connaissait bien depuis tout ce temps. Alors, pour la convaincre, il avait expliqué encore :

jusqu'à cent soixante-seize c'était d'active, donc il était bien d'active. Les permissions de récolte c'était pour la territoriale, uniquement, c'était comme ça, il était vraiment désolé mais il n'y pouvait rien, ce serait refusé de toute façon, c'était pas lui qui décidait, il aurait bien voulu l'aider, y faire quelque chose, lui aussi avait son gars là-bas, alors il comprenait, forcément, il pouvait aider autrement mais là il pouvait rien.

Uniquement pour la territoriale. Pour ceux qu'avaient plus de trente-quatre ans. Fallait pas être trop jeune, c'était pas avantageux. Pas assez vieux, pas le bon régiment, pas assez d'enfants. Elle n'avait pas pu accepter ça. Non. C'était pas possible. Elle n'avait pas pu. Voilà que ça refoulait jusque chez eux maintenant, ça ne suffisait pas qu'il y ait tous ces endroits où on n'aurait pas dit la guerre, il fallait encore que ça vienne jusque-là, que même à leur porte on leur mette ça sous le nez. Ça cocottait la guerre, ça embaumait du gosier et de la culotte, y'avait rien à dire, c'était une mécanique bien graissée, bien têtue, bien réglée, bien entretenue, qui tombait toujours pile, la mobilisation, les réquisitions, les tranchées, les blessures, et maintenant les relâches auxquelles on n'avait pas droit, parce qu'on était un coup trop ceci ou un autre pas assez cela. C'était comme la vie, la guerre, c'était même pire, c'était toutes les saloperies de la vie en bocaux. On était bien les cochons, les cochons qu'on saignait pour nourrir le beau monde, sauf qu'on n'engraissait pas ici.

Elle n'avait pas voulu entendre les raisons du maire. Elle n'acceptait pas cet effondrement, comme ça, pour des histoires de numéros, d'âge ou d'on ne savait quoi. Être soldat c'était être soldat. Avoir une famille c'était avoir une famille. Être paysan c'était être paysan. Qu'est-ce que ça voulait dire toutes ces différences qu'on leur faisait ? Comment c'était possible de les traiter comme ça ? Elle n'avait pas voulu de ce qu'il lui disait, lui pour lequel elle avait tant de respect, qui savait tant de choses mieux qu'elle, qu'était tant capable. Ça avait été trop fort pour elle. Les mots avaient débordé, s'étaient déversés, une trombe de mots, un déluge de voix, une ravine en furie que plus rien n'arrêtait. Alors, pris, acculé, retranché au-delà des derniers arguments, lâché par sa volonté, le maire avait fini par céder. Il lui avait fait un certificat. Après tout, on avait bien le droit d'y croire, de croire encore à quelque chose, ça ne coûtait rien d'essayer, d'autant plus qu'il était blessé.

Elle l'avait eu son certificat. Elle s'était battue. C'était sa guerre, sa guerre à elle, de se battre pour son homme. Ah ça oui qu'elle s'était battue, elle était sortie de son trou, là-bas, au bout de son chemin, et elle était montée à l'assaut, avec sa seule arme, elle-même, son amour et son envie de vivre. Elle était montée et elle avait récupéré ce qu'elle voulait. Elle l'avait eu son certificat. La vie demeurait possible au milieu de l'hécatombe.

Chantal entrait dans la chambre de sa grand-mère, au rez-de-chaussée, juste à côté de l'escalier. C'était une pièce d'ombre, recueillie, aux murs de vieux rose, dont la fenêtre, face à la porte, ne voyait qu'un jour vert. Tout de suite à gauche se tenait l'imposante armoire de mariage, la leur. Face à elle, le lit, haut, recouvert d'un lourd édredon amarante, surmonté d'un grand cadre ovale et d'un Christ en croix, traversait largement la pièce. Du plafond tombait sur le traversin une mince cordelette qui commandait la lumière. Dans l'angle à droite de la fenêtre était une petite coiffeuse à la mince bille de marbre rouge. Son miroir au bord supérieur arrondi s'étirait en largeur et s'encadrait dans un plateau de bois cannelé avec, à chacun de ses côtés, une petite niche à tiroir. Dessus était posé un globe de mariée. Dans l'angle opposé, une chaise. C'était tout.

En tournant la poignée, Chantal s'était sentie prise de solennité. On ne pénétrait jamais dans cette pièce, elle-même ne l'avait que rarement devinée, dans la porte entre-ouverte. Tiraillée entre privilège et intrusion, elle éprouvait ce flottement vague et soudain qui saisit à la révélation d'un lieu, quand tous les sens conjuguent leurs efforts dans un trouble de peur et d'attrait. Elle n'était pas non plus entrée d'emblée, retenue sur le seuil, envahie par cette intimité qui se jetait à elle et qui, à tort ou à raison, confinait en elle à l'interdit. Ce n'était pas une pièce qu'elle découvrait. Ce n'étaient ni des meubles ni des murs, ce n'était rien d'inerte, ce n'était pas un lieu. C'était une vie qui se dévoilait, c'était son aïeule. Non pas ce corps usé, ce regard parfois trop loin, parfois trop dur, non plus ces mots trop rares ou évasifs, ni même ce sourire jamais croisé. C'était une bouffée de quelqu'un, d'une personne qu'elle pensait connaître et dont elle comprenait qu'il n'en était rien. C'était une existence recroquevillée ici, préservée derrière cette porte, dissimulée, un journal intime sans pages ni mots, qui simplement flottait dans l'air, un être, une apparition, qui aurait attendu là, sur les rives du temps, assis dos à la porte et qui, à cette entrée tant attendue, se serait retourné, lentement, et lui aurait offert son regard.

Elle hésita de longues secondes. Elle avait besoin d'assimiler ce sentiment d'imposture qu'elle avait d'être là, ce sentiment d'enfreindre, d'être où elle ne devait pas. Elle le lui avait dit pourtant, et elle ne l'avait pas dissuadée. C'était donc en elle, uniquement en elle, c'était l'idée qu'elle s'en faisait, et il fallait la surmonter, écarter doucement ce voile qui n'avait pas lieu et ne devrait plus. Elle fit un pas en avant, puis un second. Elle traquait le bruit, elle craignait de déranger. Elle était près du lit. Elle n'osait pas le toucher, se confronter à cette réalité, en affirmer la matière, elle n'osait pas le contact avec ce qu'elle découvrait, comme si la force que cela contenait l'étourdissait. Elle contourna le lit et, sans moins de précaution, alla à la coiffeuse. Le globe de verre la fascinait. Arrivée auprès, aimantée, elle n'osa plus bouger. Ses yeux seuls interrogeaient.

C'était une belle cloche oblongue, au verre bien transparent, posée sur un socle de bois sombre. Le fond en était tapissé d'un épais coussin rouge au-dessus duquel se dressait une riche composition. Au centre était un bouquet de fleurs d'oranger, orfèvrerie de cire et de tissu. De chaque côté, de la base au sommet, s'élevaient les dorures d'un arc de larges feuilles, de fleurs et de petits miroirs. Au sommet, une colombe plongeait pour déposer une couronne de mariée.

Chantal connaissait cette tradition désormais perdue, ensevelie sous l'utile et le futile. Elle avait déjà vu de ces globes par endroits, fièrement exposés, lorsque plus jeune, le gré en berne, elle devait compléter ses parents lors de visites fastidieuses à des personnes obsolètes. Que les minutes paressaient alors que chacun s'extasiait, commentait et interprétait ce qui pour elle, passé l'âge des princesses, n'était plus que la flamme d'une désuétude faisant décor, une vieillerie qui menait une procession de passé. Cependant, rendue ici, face à cette cloche qu'elle découvrait, de ces heures de bavardages et d'ennui elle rassemblait les quelques bribes qui lui restaient. Le miroir rectangulaire, au pied, pour la fidélité promise, puis autour les triangulaires pour la fécondité, ceux en trapèze pour l'entente, les ovales, fétiches des demoiselles d'honneur, ceux en éventail pour l'engagement. Et le langage des fleurs aussi, la gerbe de blé pour la prospérité, la feuille de chêne pour l'amour heureux, la marguerite qu'on effeuille comme la vie qu'on déguste. Et au milieu de tout, ces menues choses de la mariée, choisies par elle pour mettre en jardin son existence.

La première chose que vit Chantal, ce fut une photographie, insérée en évidence dans le bouquet d'oranger. Deux jeunes mariés se tenaient par la main. Ils lui souriaient presque. Plus bas, sur la calotte de velours, devant le miroir, se reflétaient un nœud papillon blanc et une couronne de fleurs. Deux petites broches fanées avec de longs rubans clairs les encadraient. Elle observa aussi deux images d'enfants, une de chaque côté, entre feuilles et petites glaces. Ils avaient peut-être trois ans, à gauche un garçon, à droite une petite fille. Ils montraient grand leurs dents. À chacune était mise une mèche de cheveux clairs. En haut, tout en haut, était une enveloppe, jaunie par le temps, avec dessus une adresse au nom de Sidonie. Il n'y avait rien d'autre. Chantal comprit que l'espoir n'avait donné que cela. Il avait fait halte en chemin, laissant la cloche emplie de peu. Elle observait l'ensemble sans bouger, passait des uns aux autres, y revenait, recevait intensément ce qu'ils lui disaient. Il y avait quelqu'un, et bien plus, une existence, derrière cette robe au noir immuable, à l'abri de cette peau blême d'on n'osait deviner quoi, au fond de ces yeux bleus qui retenaient tant. Il y avait quelque chose qu'elle ne soupçonnait pas, pas jusqu'à présent, qu'elle s'était empêchée, et qui était là, maintenant, devant elle et évident. Il y avait une femme, tout simplement. Une femme qui, à sa façon et de son temps, avait eu ses envies, ses espérances et ses souhaits, une femme qui avaient fait ses vœux et attendu mieux, une femme qui avait aimé et avait désiré vivre.

Le voile s'était levé. Il n'y avait plus rien entre elles. Il n'y avait plus de secret, plus de raison, il y avait désormais un partage, un dialogue en silence.

Elle fit un dernier pas. Ses deux mains haletantes se posèrent sur la cloche, soulevèrent le verre, le posèrent de côté. Elle attrapa l'enveloppe, l'ouvrit, en tira des feuillets. Elle s'assit sur le lit.

Elle lut.

Ça n'avait pas suffi.

C'était bien la peine de se donner tant de mal. Ils pouvaient bien se crever tant qu'ils pouvaient, chier sang et eau, se gaver toutes les privations, se les enfourrer au fond du gosier avec les doigts, les doigts des deux mains, encore et encore, à en gerber de rage, ça ne valait rien, ils ne valaient rien, ils n'avaient rien en retour, rien. Ils n'avaient pas de relation, eux, pas de connaissances pour les arrangements, il n'y avait pas d'arrangements pour les petites gens. Les gens comme eux n'avaient qu'à se taire, à se taire et à tendre le dos. C'était à peine si on leur laissait le droit d'être dignes, bons qu'ils étaient à se faire tuer comme des moutons, voilà, comme un grand troupeau de bêtes menées à l'abattoir. Et il marchait le troupeau, il fallait qu'il marche droit, et ceux qui bêlaient trop on les avait faits taire. On ne voulait pas grand-chose quand même, retrouver sa famille, sa femme et ses enfants, de temps en temps, vivre un peu, une fausseté de normal au milieu du sacrifice, oh pas la grande vie, juste être bien, et pas tout le temps encore, juste quelques jours.

Non, ça n'avait pas suffi. Il avait bien reçu le certificat mais il n'avait pas eu l'autorisation. Y'avait toujours à redire quand on parlait d'être bien. Ça restait trop demander, quelques jours à ne pas mourir. Mais c'était quoi grand Dieu, quelques jours à ne pas mourir ? C'était tant que ça qu'on ne leur donnait pas ? Rien n'y avait fait. Aucun de leurs efforts à chacun. Le règlement, le beau règlement, sur son trône, à qui on ne pouvait rien dire et qui disait tout, lui, sans recours ni pourquoi, le règlement sacré, la bible des gradés et le fer des sans-grade. Celui-là, en manière de trône, elle lui en aurait bien offert un autre, pour agacer les mouches de la tartine de son dégoût, son dégoût de cette guerre viciée qui gangrénait partout et amputait tout.

Elle avait fini par recevoir la carte de la mauvaise nouvelle, celle du rétablissement, celle qu'elle regardait maintenant alors que la pluie cinglait, eau toussée d'un air violent et qui douchait la maison. Elle était laconique. Le Tréport, une nouvelle fois. Un jardin public, calme, serein, avec la mer derrière, dans un coin. Il y avait la mer partout au Tréport. Quelques belles maisons, un monument vitré rempli de cailloux avec un vase au-dessus et, au fond, un donjon carré. On voyait aussi une dame bien mise, en robe bleu clair, seule devant le monument, absolument seule, comme si la vie avait déserté, comme si l'existence était morte, comme si tout finissait. Elle ne bougeait pas, elle non plus. Elle était simplement là, debout, cernée de rien. Seuls quelques jeunes arbres poussaient le long d'une allée. C'était donc aussi cela, Le Tréport, l'effervescence, la foule, des gens heureux et puis soudain, une femme seule dans un jardin. Elles se ressemblaient finalement, elles étaient un peu pareilles, c'était la vie, « à poil on est tous les mêmes » comme on disait, grandes et petites gens, au fond, on vivait les mêmes choses, différemment, mais les mêmes choses. Oui, à bien y réfléchir, c'était bien les mêmes.

Le jardin avait fondu sur les vitres. Les pommiers, la rotonde, les poiriers, les troènes, tout dégoulinait, vies froides qui glissaient au sol. Cela avait été ainsi. Il était reparti. Ils ne s'étaient pas revus. Il avait fallu se dépatouiller pour les batteries, il avait fallu se battre jusqu'au bout, pour ça aussi. On n'avait pas de repos.

Ils sont venus, tous ceux qui étaient prévus, on en a trouvé suffisamment. Tout le monde s'y est mis, tout le monde, partout, les femmes, les hommes, les jeunes qui n'ont pas encore l'âge, et les anciens, qui reprennent du service. Même les enfants et même les très vieux, chacun va aider à ce qu'il peut. On va s'organiser, on va se serrer les coudes, ça sera plus long et il faudra que le temps aide aussi. On va s'y coller, chez les uns puis chez les autres. On s'arrangera, on a chacun chez soi mais on a besoin de tout le monde. C'est déjà l'habitude de toute manière, on sait qu'on a besoin des autres et que sans eux on n'est rien. Elle les regarde, soulagée, reconnaissante. Il y a même ces hommes et ces femmes venus de la ville, mobilisés aux champs, ces champs dépeuplés auxquels il faut redonner les forces de la saison virile. Il y en a même de la territoriale. Ils sont tous là, gâpettes, chemises larges et culottes sales. Ce ne sont pas les mêmes têtes, elle ne les connaît pas toutes, forcément. Elle n'a pas l'habitude, elle connaissait tout le monde les fois d'avant. Mais ce sont des bras, et des bras sont des bras, c'est bien ça le principal, avoir des bras. Ils s'activent pour elle qui, à porter la vie, ne peut rien porter d'autre.

Ça refait le moral de partager la suée, on va rigoler, on garde cette force-là. C'est tellement bon. On repêche un fond de gaieté dans l'alliance du malheur et des corvées, comme si c'était plus fort dans le noir qu'on trouve la lumière. On pleure déjà trop comme ça, on a trop mouillé la terre de chagrin alors, pour une fois, on va la tremper d'ouvrage et de pouffées. Ça veut dire qu'on croit encore à l'avenir, qu'il y en a un, que c'est possible. Ramasser c'est aussi l'espoir, une promesse, bien plus qu'une récompense. C'est comme un fruit qui porte une graine, une graine de beaux jours, de jours meilleurs au moins. On y met toute la force et l'envie de quand ils seront rentrés. On se dit que c'est pour eux, pour que tout recommence, comme avant, comme de rien, comme si rien n'avait eu lieu. Alors on va suer et on ne va pas y regarder. On va suer d'avenir. On va suer, on va boire et on va rigoler, comme eux.

Il est encore assez tôt mais elle sait déjà que l'air va bouffir. Ça monte de la terre autant que ça descend du ciel. Il n'y a pas d'air, pas du tout, rien, pas un souffle. Ça pourrait bien aller à l'orage, il va pas falloir traîner et s'organiser pour finir dans l'après-midi. On commence tout juste, ils vont attraper chaud à manœuvrer toutes ces gerbes, ça va réclamer à boire, il va falloir faire suivre, souvent, beaucoup, pour garder de la force et avaler la poussière, pour avoir de quoi passer l'année, cette année qui vient, cette inconnue qui se terre, là-bas, dans le brouillard de son esprit, si abstraite, si confuse tellement elle ignore ce qu'elle sera, si ce n'est qu'elle nourrira un de plus. C'est quoi d'ailleurs une année au point où on en est ? Elle n'en sait plus rien, cela ne signifie plus rien. La seule chose qu'elle sait c'est que l'hiver repassera, des jours pleins de nuit et d'humide, et qu'il faudra le passer, de nouveau, et le passer pour trois, cet hiver qui, malgré tout, verra le printemps de ses entrailles. Elle, lui, chacun à sa place, ils devront le passer, il le faudra bien. On n'arrête pas l'hiver, non, on ne l'arrête pas, on le prépare du mieux qu'on peut et, si tout va bien, on s'y engouffre, on le traverse, et on en sort. C'est tout ce qu'elle sait alors que la moiteur la prend et que ses mains désœuvrées questionnent son ventre.

Les jours précédents, on a fait le relevage, à la faucille, à se briser les reins. On a lié les gerbes à la paille de seigle et on les a dressées en veuillottes, pour bien sécher les grains. La veille, la batteuse est arrivée, qui passe de ferme en ferme et qui, aujourd'hui, est aussi là pour elle. C'est encore une chance qu'on ne soit plus obligé de battre au blaye, là on ne sait vraiment pas comment on aurait fait. Tout le monde est arrivé tôt. Elle était debout depuis longtemps, pour les accueillir comme il faut. C'est important de bien s'occuper des gens qui viennent aider, c'est important, surtout quand on ne peut pas s'y joindre. Alors elle leur a préparé le casse-croûte pour avant de s'y mettre, un bon casse-croûte pour donner de l'entrain. De la charcuterie bien sûr, avec le jambon qu'on a fumé dans le haut de la cheminée, gardé pour l'occasion, et puis du cidre, et du café arrosé pour faire passer tout ça. C'est important le casse-croûte. Ça permet de causer, de faire connaissance pour les nouveaux, de s'organiser, et de s'égayer déjà. Le casse-croûte, ça met la corvée en réjouissances autant que ça tue la fourbure à l'avance. Et puis il y a le bruit, le bruit de la machine qui l'étourdit et celui des voix qui la distrait. Ça change du silence, c'est autre chose qui tourne dans la tête, ça tourne en bon et pas en noir.

Tout ce monde... Elle en a bien de la chance ! Il y a les hommes montés sur le tas. Ils envoient les gerbes à un autre, qui les pose sur la machine. Et puis celui qui coupe le lien, celui qui étale, et un qui engraine dans l'avaloir où tout disparaît, happé. Alors la mécanique digère, dans un grand nuage de poudre, puis elle rejette les grains, dans des sacs que les plus forts montent au grenier pendant que d'autres ramassent la paille, encore à l'autre bout. C'est beau tout ce monde qui se démanche pour elle. Elle va aller chercher pour leur rincer le gosier d'ailleurs, ils ne vont pas tarder à réclamer, c'est certain que ça ne va pas tarder. Ce midi, on mangera vite. Elle a déjà préparé ce qu'il faut, un bon ragoût de lapins, tués la veille, quelque chose qui tient au corps, avec des patates. Et puis ce soir, on fera la noce, oui, la noce, pour de vrai, autour d'une dinde. On oubliera tout, on essaiera, la fatigue et tout le reste, à grands coups de boisson et de calva, comme d'habitude, comme avant. On s'amusera, on s'arsouillera, c'est encore ça qu'ils voudraient tous ceux qui sont là-bas, à battre le boche plutôt que le grain, elle en est certaine, et tant mieux s'il y en a encore qui auront chaud à la veste en repartant. La guerre n'aura pas tout, on se gardera un peu de vie pour soi.

Le rut d'août lui perle le front, la saleté la couvre et le tumulte l'enivre déjà. Allez, elle va chercher à boire, ils en ont tous besoin, si tôt. En passant prêt de la machine elle plonge sa main dans le sac qui se remplit et, la relevant, embrasse des yeux les grains qui s'échappent, comme lui avait l'habitude de le faire, une manie même on pouvait dire. Elles sont précieuses ces graines, il aurait aimé voir ça. Il aurait aimé qu'elles lui chatouillent la paume et s'écoulent entre ses doigts. Cette caresse était son plaisir. Alors elle les cajole pour lui.

L'écoulement tari, elle remarque quelques faînes restées coincées. Elle sourit. Le hêtre, son arbre. Il les aime tant, les hêtres, qu'il en a laissés tout le long des parcelles, et même plantés d'autres. Ils sont comme lui, modestes, durs et bons à tout. Et il aime tellement, aussi, croquer dans ces fruits, comme des petites châtaignes que l'on dédaigne, pas assez grosses, pas assez grasses, pas assez belles. Alors elle referme son poing et, marchant vers la remise, dans une grande pensée, elle les jette au ciel pour lui envoyer. Elles sont pour lui.

L'enchaînement des événements serait terrible. La guerre n'était plus qu'un grand corps nu d'espoir et dénué de tout, qui courait au vide affolé et sans se retourner. L'impuissance le disputait à l'inéluctable, mâchoires d'un étau implacable et sans recours. Les nouvelles, devenues dérisoires d'être si prévisibles, dérouleraient leur fil sans accroc et le mutisme finirait par bégayer sans qu'on sache ce qu'il dirait. C'était ainsi que cela devait finir, elle le savait bien, tout le monde le savait, ça ne ferait pas un pli.

On démissionnait de comprendre. Un coup on prenait, un coup on reperdait plus fort et la fois d'après c'était l'inverse, quand c'était pas encore le contraire. Mais y'avait-il encore quelque chose à comprendre ? Tout ce qu'on comprenait c'est qu'il ne fallait plus chercher à comprendre. Chaque matin, dévoué et ponctuel, livrait son lot de corps et d'abîmés. On le voyait bien, tout autour, partout. C'était une hécatombe qui se bedonnait, faisait son lard, une tuerie bien persillée. Mais la campagne saignait, elle se vidait, blessée elle aussi, et de plus en plus salement, mortellement. Elle agonisait. On ne s'était pas douté de ça un an en arrière, mais alors pas du tout, on ne s'était pas douté que ça finirait comme ça, que ça finirait par ne jamais finir, pas plus elle que lui ou tous les autres. On leur avait même chanté tout le contraire, au commencement, avec tous leurs racontars, que ça ne durerait pas, que ce serait expédié, qu'on en serait vite purgé, qu'ils seraient vite rentrés, une escapade et rien d'autre, une promenade de santé, la fleur au fusil comme on disait, il ne fallait pas s'en faire. Mais ça durait, on le voyait bien que ça durait, on n'en voyait plus le bout et on était beau maintenant avec tout ça, on était beau à voir comme c'était pas joli. Elle n'était plus jolie la fleur du fusil, elle était bien fanée, elle n'était plus qu'un pot-pourri. C'était quand même bien des fables qu'on leur avait faites.

Elles avaient été dures ces cartes-là. Qu'elles avaient été dures... Jalons dérisoires d'un chemin bien pavé, elles avaient échoué à contrarier la fatalité. Quelques lignes de banalités y noyaient quelques mots terribles, les seuls qui parlaient vraiment. La terre ne la portait plus. À quoi bon finalement ? À quoi bon ? Les jours avaient expiré, de plus en plus lourds, de plus en plus longs. Elle avait vécu au ralenti, les battements du balancier n'étaient plus qu'un sursis, une interminable seconde, encore une seconde monsieur le bourreau, encore une seconde, juste une seconde, une petite seconde, une minuscule seconde. Elle avait vécu par habitude, pendue à l'inacceptable. C'est étrange la vie quand on a perdu espoir, un engrenage dont on peut tout prévoir, on ne s'attend à rien et on attend que cela arrive.

Il n'y avait plus que quelques cartes au fond de la boîte. Elle touchait au bout de son trésor.

20 septembre 1915
Ma petite chéri j'espère que tu et toujour en bonne santé pour moi la santé et toujours bonne Quelque mots vite fait pour dire que je remonte au tranchées demain soir. J'ai trouvé la lettre que tu m'avait envoyer et les deux images qui était dedans. Leroy et rentré de hier matin. Je ne vois pas d'autre chose à te dire pour le moment que de souhaité une bonne santé à tous. Gros baisers à tout trois. Ton homme.

Il y était. Le jour où elle l'avait reçue, il était à nouveau au fond de son trou. Qu'est-ce qu'on n'avait pas inventé là ! Vivre comme ça, des jours entiers, des semaines, dans la terre, sous la terre même ! C'était pas une vie. On n'était pas fait pour vivre comme ça, enterré, à ne rien voir d'autre que de l'argile, là, qu'on touchait avec ses mains, avec ses pieds, avec son dos, avec son derche, avec sa tête, avec tout tellement il n'y avait pas de place pour autre chose. Il devait même avoir l'impression de la toucher avec les yeux tellement elle était près, tout le temps. La terre on était fait pour vivre dessus, pas dedans. C'était pour les morts d'être dedans, oui, les morts, c'était bien eux qu'on enterrait, pas les vivants. On ne vit pas enterré, même soldat. C'était insensé qu'il faille s'enterrer vivant pour ne pas mourir, pour survivre, c'était le contraire de la normale. Voilà où ça menait la guerre, à tout le contraire de la normale, tellement le contraire qu'elle avait bien du mal à imaginer ce que ça pouvait d'être comme ça, vivant, mais enterré comme les morts, vivant mais déjà en terre.

Elle en avait entendu des histoires de tranchées, et malgré ça elle avait bien du mal à se les figurer. Les boyaux qu'ils appelaient ça, si profonds qu'on n'y voyait rien autour, tout juste larges pour s'y croiser. Ça portait bien son nom à charrier la merde comme ça. Quand on passait sa vie au grand air on avait bien du mal à se dire ce que ça pouvait être que de vivre comme ça, enfermé entre deux murs, avec à peine un peu de ciel au-dessus et un plafond de fer entre les deux. Pour ça, il ne devait pas être heureux là-dedans, c'était pas possible. Et l'hiver qui arrivait avec ça. La terre, l'hiver, elle se vengeait, elle se vengeait qu'on soit là où on ne devait pas, à lui pullulait le ventre et à l'engrosser d'horreur. Alors elle se vengeait. À vivre en elle plutôt que d'attendre d'y être mort, elle vous gâchait la vie. Elle se mariait à l'eau et elle enfantait la boue. Elle bavait, elle collait, elle attrapait les pieds, les chevilles, elle attrapait tout, jusqu'au cou, comme un souffle sur la nuque pour dire qu'elle est là, qu'elle est la maîtresse et qu'on ne lui échappera pas. Et dans les boyaux elle attrapait l'homme entier, qui se livrait lui-même, qui se rendait de son plein gré, qui tentait un dernier pacte, une dernière partie de dupe on ne sait jamais, vivre mort pour ne pas mourir. Elle l'étreignait, simplement, le consolait en blanc, lui réchauffait le chagrin sur son réchaud de froid. Elle en faisait son semblable. Elle le fondait en elle.

Il n'y avait plus d'hommes dans la boue, non, il n'y avait plus d'hommes, elle en était certaine, surtout pas dans celle-là. Il n'y avait que des êtres plus tout à fait vivants mais pas encore tout à fait morts. C'était tout ce que cela lui disait les tranchées, c'était tout. Elle n'avait jamais réussi à s'en faire une autre idée. Les images, les récits, tout ça ne lui parlait pas. Pour elle, c'était pas un endroit, les tranchées, c'était une sensation, celle d'un entre-deux visqueux. Elles lui étaient montées à la tête, les tranchées. Elles creusaient elles aussi, c'était leur autre vengeance. Elles rampaient dans son crâne, grattaient leurs sillons, grouillaient comme des vers. Elles la dévoraient autant que lui, petit à petit. Elles la minaient. Cela avait été ça pour elle, les tranchées, la vie qui se dissout.

Il ne restait plus que quelques cartes. Avait-elle envie de poursuivre ? Dehors la tourmente doublait la mise et couchait tout. Les vitres submergées n'étaient plus qu'un mur. Elle hésitait. Était-ce nécessaire ? Il les lui avait écrites après tout, il avait pensé à elle, malgré tout.

23 septembre 1915

Ma petite femme,

Je suis toujours en bonne santé et je désire que ma carte te trouve de même et mes enfants. Comme nouvelles à te faire parvenir ses que je suis aux tranchées de 1re ligne depuis trois jours pour dix jours il ne fait pas chaud mais il ne pleut pas trop. J'espère avoir des nouvelles de toi dans une quinzaine de jours j'ai reçu ta lettre datée du treize septembre je suis bien conten que ça se passe toujour bien pour notre bébé que j'aimerai bien voir grossir avec vous deux. Peut etre un jour il y aura une perm avant qu'il vienne ou quand il viendra je comte sur des colis aussi car il n'y a rien a acheté même un litre de vin. Bonne santé. Gros baisers de courage.

24 septembre 1915

Ma petite femme,

Je t'envoit ces quelques mots pour te dire que je suis encore au tranchées et cela barde un peu mais cela ne me fait rien, hier il est tombé un obus de 105 a quatre mètre de moi comme j'étais occuper a écrire mais il ne m'a pas opposé d'écrire pour cela j'ai eut un peu de terre sur la tête mais cela ne l'a fait aucun mal. Autre chose qui m'intéresse d'avantage c'est que j'ai entendu dire que les permissions redevienne possible mais ça ne va pas être vite cinq par corps alors il y a encore le temps ce ne sera pas avant le mois de janvier. Le bébé sera arrivé avant il faut sy faire cest comme ça cette foutue guerre qui pourri tout.

Cette carte ces sont des prisonniers et des spahis Marocains qui les escorte à cheval ce sont des régiments d'Afrique et je t'assure qu'ils ont de jolis chevaux ces poilus la. C'est tous chevaux entier qu'il ont et puis il sont fier. Je ne voit rien à te dire pour le moment que de te souhaiter une bonne santé à tous Bons baisers a toi et a mes petits gosses.

3 octobre 2015
Ma petite femme chérie,
Je t'envoi ses deux mots pour te dire que pour le moment je suis toujours bien portant et j'espère que ma carte vous trouvera tous de même. On a fai une attaque terible toute une semaine, ce qui m'a empéché de t'écrire comme j'aurai voulu. Sa a bardé l'artillerie pendant trois jours et après on fu lancé. J'ai reçu une petite blessure à la jambe mais pas assez grave cest vraiment la poisse avec moi j'ai un copain d'Ussy il est blessé par un éclat d'obus au pied droit sans ajouté que l'on ne peut pas se quitté tous les deux il était au près de moi au moment qu'il a était blessé et moi je fit encore bien cinq cents mètres. On a quand même repri leur première ligne aux boches mais cest pas encor assé. après j'ai était comme lui j'était content une fois blessé mais ses pas assez grave alors je resterait ici peut-être encore quelques jours jusqu'à la relève qui doit arrivé bientôt a ce qu'on dit. Je tiens le bon bout pour etre tranquille et etre peut etre la pour l'acouchemen A tu déjà vu la sage-femme ? Gros baisers mes trois amour Ton mari pour la vie.

Elle reposa la carte contre les précédentes. La boîte était vide.

Plus rien n'était arrivé. Plus rien. Un jour. Deux jours. Trois. Cinq. Une semaine. Deux. Trois. Un mois. Rien. Le silence avait frappé. Il avait englouti la campagne, tout recouvert, tout enseveli. Elle ne voyait plus que lui, partout, tout le temps. Il effaçait le ciel, dérobait le sol et fauchait l'herbe. Il pendait aux arbres en lambeaux d'espoir et dansait sa farandole noire dans la cheminée. Il n'y avait plus que lui, omniprésent, envahissant, conquérant. C'est lourd le silence. C'est lourd quand il appuie de tout le poids du vide, quand il écrase de tout le poids du doute. Il sifflait dans le vent, chantait dans les oiseaux, meuglait dans les vaches et suppliciait dans le verbe. C'est bruyant le silence. C'est assourdissant quand tout ce qu'il retient, tout ce qu'il contient, tout ce qu'il dit n'est pas un bruit mais une absence. Rien n'est pire que quand il n'est rien, ni une pause, ni une respiration, ni une accalmie. Rien n'est pire que quand il est ce qui aurait pu être. Il n'est beau qu'éphémère, reposant qu'en suspension, il n'est rassurant que certitude et il n'est vivant qu'imparfait. Ce silence n'était rien de cela. Il avait tissé sa toile invisible et l'avait prise. Elle n'en échapperait plus. Il était ce qu'elle respirait, ce qu'elle buvait, ce qu'elle mangeait. Il serait tout, cette boîte vide, ces cartes qu'elle n'attraperait pas, ces images qu'elle ne verrait pas, ces mots qu'elle ne lirait jamais et cette éclipse qui ne finirait pas. Il était tout contre elle, se blottissait à son côté. Il avait été le compagnon de sa vie, il avait pris sa place et il était là, attentif, bavard impénitent, à ne rien lui dire, à la laisser se démener, dans un bruit qui n'existait pas, le bruit de sa mélancolie, celui de ses songes et de ses regrets. Il l'avait recluse, cerclée d'une transparence de murs qui filtraient le monde. Il avait modelé ses pensées, modulé ses mots et brouillé son regard. Il avait culbuté le temps, posé le passé devant, mis l'avenir en souvenirs.

Le temps ne s'en était pas laissé dire. Il s'était allongé à mesure de la nuit qui tombait sur sa vie. Les jours avaient passé. Porteurs d'impatience d'abord, ils avaient charrié l'inquiétude.

Elle avait attendu le facteur, comme elle l'attendait lui. Un jour. Deux jours. Trois. Cinq. Une semaine sans rien. Rien. Elle avait encaissé ses coups, ces coups d'horloge qui la boxaient, formidables d'égal. À chaque seconde, chaque quart d'heure, chaque heure, il l'avait frappée, lui avait asséné son compte, son compte à lui, qui ne sait que gonfler. Alors, à sa façon, il était sorti de son lit et avait tout envahi, lui aussi. Il était devenu une vaste étendue grise, sans nuances ni tendance. Il avait tout immergé, tout imprégné, il n'avait rien épargné. Il était partout lui aussi, elle ne voyait plus que lui, elle n'entendait plus que lui, lui et son cri le silence. Il n'était plus qu'une nappe liquide qui l'avait encerclée puis portée, à sa guise, dans son tango funeste qui mène en arrière bien plus qu'en avant. Il l'avait tenue serrée, tout contre lui. Elle avait souffert le froid de son corps, le givre de son haleine, la fermeté de sa main et l'indifférence de son pas. Une semaine. Deux semaines. Trois. Un mois. Rien.

Alors elle avait paniqué. Elle avait écrit, cherché, remué le ciel et secoué la terre. Elle avait remis le couvert du démenage. Rien. Le temps avait resserré son étreinte. Il l'avait emmenée de plus belle dans sa danse, sinistre, lente, de plus en plus lente, engourdissante. Un mois. Deux mois. Et puis une lettre. Une enveloppe avec une écriture qui n'était pas la sienne. À l'intérieur pas de carte mais quelques simples feuillets. Un homme en uniforme entrait chez elle, sans frapper, de loin, de très loin, d'immensément loin, et il lui parlait. Drôle de visite. Mots silencieux qui déchirent le silence. Phrases définitives qui crucifient le temps. Alors, chancelante, étourdie, elle s'était levée de la bancelle, avait contourné la table comme aveugle, sans savoir si elle marchait ou si elle flottait. Elle s'était approchée de l'horloge, en avait ouvert le battant et, de sa main égarée qu'elle ne voyait plus, elle avait arrêté le balancier. Elle avait refermé, un gond avait grincé, elle avait refait le tour de la table et s'était rassise sur le banc. Le silence était complet. Le temps s'était tu. Les secondes ne tiquaient plus, les heures ne sonneraient plus, les quarts d'heure non plus.

Trois mois. Six. Il n'y avait plus eu de saisons, ni de jours ni de nuits. Le temps ne passait plus mais il dansait toujours, valseur invétéré. Il dansait avec elle, en avant, en arrière, un temps de pause, une volte à droite, une autre à gauche, en avant, en arrière. Elle était à lui, il la tenait, ils ne se quitteraient plus et ils tourneraient sans fin sur la partition du silence. Six mois. Un an. Deux. Le silence et le temps s'étaient promis fidélité, pour la vie, pour sa vie. Leurs noces grises avaient tout drapé de brume. Le sel s'était fait fade, le sucre s'était fait aigre, les bruits s'abstenaient, les odeurs blêmissaient, le velours s'était fait âcre. La ronde n'avait pas cessé. Le temps l'avait étourdie, enivrée. Elle n'avait plus su où elle était, dans quel sens elle allait, dans quelle direction elle regardait. Tout devenait flou, tout tournoyait et tout se ressemblait. Cinq années. Dix. Quinze. Que c'est long le temps quand il tourne en rond, que c'est long quand il va en arrière.

Bien des années plus tard encore elle avait voulu voir. C'était important. Au fil de la danse la vie avait enjoint ses droits, puisqu'il le fallait, puisqu'elle était partout et qu'elle dictait sa force de son joug continuel. L'absence s'était faite fatalité, puis mélancolie. Cependant, elle n'avait pas oublié. Elle n'avait pas oublié qu'il y avait eu quelqu'un, qu'il devait y avoir quelqu'un et que cela devait être autrement. La matière s'était délayée, les images s'étaient troublées, le temps avait œuvré, érodé, aplati, mais elle n'avait pas oublié. Alors, du bout de sa route, en ce lieu d'où l'on ne voit l'horizon qu'en se retournant, avait rejailli ce qu'elle avait enfoui, cette ultime semence d'espoir et de passion qui, depuis si longtemps, ne patientait que de vivre. Et il était revenu. Sans qu'elle s'y attendît, il avait, par surprise, repris possession d'elle. N'y tenant pas, poussée par une fièvre qu'elle n'imaginait plus, elle était partie rejoindre son bien aimé. Elle y était allée. Elle avait voulu voir d'où il n'avait plus écrit. Elle avait voulu regarder son dernier ciel, fouler sa dernière terre et respirer son dernier souffle. Elle avait voulu mettre du présent dans ses souvenirs. De ce lieu funeste elle ne savait qu'un nom, celui d'un pays tombé à l'oubli mais qui, pour elle, tranchait la vie en deux.

C'est le même automne. La matinée se remue à peine. De la journée c'est son moment favori. Elle vient de sortir du village. Elle s'y est attardée. Elle a voulu le voir, mettre sur ce nom des images, des détails, une réalité. A-t-il vu cela, lui ? A-t-il vu cette fière église de briques rouges, aux angles gris et au clocher si fin ? A-t-il vu cette large place et ces rues bordées de maisons basses, toutes de briques elles aussi ? A-t-il marché sur ces pavés, a-t-il perçu leurs rondeurs sous ses pieds, leurs joints inégaux ? A-t-il remarqué cette maison, là, à l'angle, plus bourgeoise que les autres, aux larges cheminées et au fronton découpé ? A-t-il vu le même ciel, la même lumière ? A-t-il senti le même air frais lui tanner la peau ? A-t-il aimé le même soleil qui lui lançait ses dernières forces ? Comment savoir ? Tout cela n'existait plus déjà, probablement plus, ou pas encore, que doit-on dire ? Tout cela a vécu, est mort, puis a vécu de nouveau. Tout cela a eu une nouvelle vie. Tout cela est la même chose mais différent, tout cela est autre chose mais peu importe, finalement, car en cette autre chose revit ce qu'il a vu, peut-être.

Elle ressent avant tout le lieu, qui est l'âme de tout cela, qui s'y est réincarné et l'accueille à son tour. Et cet endroit lui parle, il la guide, l'emmène au long de cette route qui l'appelle à son tour. Elle marche. Elle apprécie le temps, chacun de ses pas. Une large plaine s'étale, d'une herbe soyeuse qui flatte les yeux. C'est un peu comme chez eux finalement, moins vallonné, moins arboré, mais cela reste une campagne, une belle campagne, bien verte et généreuse. Elle se laisse porter. Elle respire cet air comme s'il y était, s'en repaît comme pour le sentir, lui, son odeur et nulle autre. Il y a de lui ici. Il est là, près d'elle, indéfinissable. Elle le devine. Il lui parle, lui prend la main et l'entraîne. Elle le distingue dans la lumière, dans le scintillement de l'herbe et dans la terre qui fume. Elle le soupçonne partout et elle aimerait le voir, le toucher, puisqu'il est là, elle n'en doute pas. Pour la première fois depuis si longtemps il est là, vraiment là, pas en mémoire ni en ombre, mais présent, comme avant, bien présent, un être qui vit, qui respire, qui s'exprime. Elle l'entend. Elle n'a pas de doute. C'est bien lui qu'elle entend. Mais où est-il, d'où vient cette voix, si douce, si ferme, si vraie, la sienne, la sienne entre toutes, d'où viennent ces mots si clairs ? Elle ne sait pas. Ça lui est bien égal après tout, oui, ça lui est bien égal. Il lui parle, c'est tout ce qu'elle sait, avec sa voix, sa voix de là et maintenant, pas une voix du passé, pas des mots d'antan, des mots de là et maintenant, à lui, pour elle, des mots nouveaux. Alors elle les écoute, elle se confie à eux et les suit, apaisée.

En arrivant, elle n'avait su que prévoir. Qu'allait-il se passer ? Qu'allait-elle ressentir ? Elle craignait la tristesse et, pire, elle craignait le dédain, l'indifférence. Elle avait peur de se trouver étrangère, posée dans un décor qui ne lui dirait rien. Elle avait craint d'être venue et de ne rien vivre, le vide qui, peut-être, l'aurait reprise. Mais ce n'est pas le vide. C'est paisible. Elle marche le long de cette route, elle écoute ses mots, la terre s'écarte, ouvre ses bras et lui fait place. Sensation de rencontre, de retrouvailles.

La vapeur rasante la porte, elle avance, elle se comble de l'endroit, du moment, chaque sensation, chaque seconde. Que ces secondes sont précieuses. Tout cela est étrange mais elle n'en a pas peur. Elle est attirée, aspirée, aimantée. Le village n'est plus qu'une empreinte derrière elle. À sa droite se révèle une pièce nue, une terre belle et opulente, d'un brun qui vire au rouge. Elle s'arrête. Elle lui fait face. Elle la contemple. Quelle belle terre. Elle ferme les yeux. Qu'elle est bonne cette odeur de terre, qu'elle est riche. Oui, qu'elle est bonne cette odeur de terre qui tiédit, tout juste réchauffée. Elle comprend ce qu'elle lui dit. Alors elle rouvre les yeux. Elle médite cette étendue sombre qui inonde l'horizon, tout juste animée d'un joli bosquet d'arbres, là-bas, au loin. On dirait une mer, une mer d'argile, avec dessus un large navire aux voiles d'automne. Elle a compris. Elle regarde. Elle écoute. Elle reçoit tout.

Elle voit les vagues et les entend. Des vagues de terre. Dans une furie, elles se montent, se fracassent et répriment tout de leur écume noire. Elles se déchaînent, déferlent, ne laissent aucun répit, déchirent l'air de leur colère, se cabrent au-dessus de leurs proies puis les effacent. Au milieu de cet ouragan, des hommes luttent. Tantôt couchés, tantôt debout, ils tentent de transpercer les déferlantes, de plus en plus nombreuses, de plus en plus puissantes, scélérates. Ils ont passé des jours terrés dans la boue froide, au fond de souilles grouillantes de hardes humaines, avec comme horizon une longe de ciel livide. Ce matin-là, ce matin glauque et fangeux d'un nouveau jour de patauge, le clairon a beuglé. Alors ils se sont arrachés de leur bauge, dans un élan de revenants qui jaillissent de l'oubli. Le canon a tonné. C'est désormais une course éperdue dans l'aboiement des bombes, de buttes en bourrelés, dans la lande boursouflée et déchiquetée d'acier. Sous la voûte de plomb, les trombes touillent l'air, montent une brouillasse bourbeuse dont les lames surgissent partout, déchaînées, enragées et furieuses. Elles les laminent, les aveuglent, les désagrègent. Elles les concassent de leurs embruns lourds. Une fois, deux fois, tant de fois ils manquent de chavirer. Ils courent, fusil en main, coupés en deux pour ne pas tomber. Ils plongent au sifflement qui approche, prient sous le choc, se relèvent et progressent, toujours, chaque fois moins nombreux.

Elle les voit. Ils sont là, ce sont eux. Ils sont là, devant elle, et ils se battent. Et lui, et lui, où est-il là-dedans, où est-il dans tout cela ? Peut-elle le voir ? Le reconnaître ? Elle s'engage sur le chemin qui conduit au petit bois et vient au milieu de la furie. Elle n'a pas peur, sa vie est déjà partie, rien ne peut plus lui prendre. Elle progresse dans le chaos, debout, haute. Rien ne la touche ni ne l'effleure. Elle est une apparition, elle n'est que d'air, de certitude et de confiance. Tout la traverse. Elle ne distingue ni le vacarme ni les cris, elle ne connaît ni les bourrasques ni la grêle de fer, elle écarte l'ordure, elle la répugne et l'écœure. Elle est au milieu d'eux désormais. Ils n'ont qu'un seul visage, ils sont tous les mêmes, figures de peur, de volonté et de courage. « À poil, on est tous les mêmes ». À la guerre aussi et à la tombe encore plus. Ils ne sont qu'un, celui qui se sacrifie. Ils sont tous ceux qu'on a envoyés là, pour tous les autres, là-bas, dans leurs belles tenues, à musarder sur la plage. Ils n'ont plus d'uniforme qu'une grossière maille d'espoir et de détresse, râpeuse, amidonnée de la bouillie d'argile, de chair et de sang qui les déborde et s'acharne à les noyer. Ils sont là et, s'ils se couchent, c'est pour mieux se relever, mieux repartir et mieux avancer. Ils sont partout, si nombreux et si vivants. Elle les admire. Secoués, renversés, broyés par les éléments qui se déchaînent, ils insistent, ils s'obstinent, ils ne renoncent pas. Ils sont la vie, intraitable, invincible, toujours prête à repartir, à sortir de rien. La mort peut bien s'entêter, les persécuter, elle ne peut pas vaincre, elle n'est pas d'ici, elle devra battre en retraite, vaincue, piteuse et humiliée.

L'un d'eux est si près qu'elle pourrait le toucher. Il a surgi au milieu du carnage et s'est allongé là, à ses pieds, dans un trou de fortune, arrachant une bouffée de vie. Elle entend son souffle, puissant, elle sent son cœur qui rosse le sol. Il n'est que terre, des godillots au casque, ses mains sont de terre, son visage est de terre, une statue d'argile, qui bouge, grogne, jonfle. On dirait la terre en vie. Est-ce la terre faite homme ou l'homme changé en terre ? Elle ne sait pas, ils ne sont plus qu'un. Elle ne bouge plus. Elle ne voit plus que cet homme, sa force, son ardeur, sa bravoure, tout ce qu'il est. Il se répand en elle comme une eau lente. Chaque parcelle de son corps est lui désormais, chacun de ses mouvements est le sien, chacune de ses pensées. Elle est lui, il est elle, eux aussi ne font plus qu'un. Il est debout avec elle, elle est couchée avec lui, elle le voit tout autant qu'elle le vit, elle est lui au milieu du saccage et elle sait qu'elle ne craindra plus rien.

Un fracas, effroyable, un souffle immense, un tourbillon de noir. Et puis un poids. Le poids de l'argile. Le froid et l'odeur de l'argile. Le goût de l'argile. Seule une de ses mains demeure visible, résurgence sanglante, convulsée, qui perce le sol à hauteur du poignet. Les doigts s'agitent. Ils cherchent un fil de vie, la main de la femme ou des enfants, leur peau ou leurs cheveux, une dernière fois. Ils sont-là, assurément ils sont là. Il ne peut pas disparaître ainsi, absorbé, envahi, seul et à l'insu de tous, avalé, dévoré, digéré par cette terre qu'il a tant chérie, travaillée de ses mains, marquée de ses pas et irriguée d'efforts. Il lui a donné sa vie. Elle a tendu la main et la lui a prise. Une petite chose au creux de sa paume qui se referme, tel un piège, dans un dernier instinct. Quelque chose, quelqu'un, une issue ? La main ne bouge plus. Ce poing dressé, figé, reste comme un avorton d'arbre. Ils ne se reverront pas. Ils attendront. Longtemps. Il faudra bien s'y faire. Le temps s'écoulera, patient et long. Inépuisable forgeron, il battra l'oubli du maillet de sa course sur l'enclume de l'absence. Chaque jour, chaque heure, chaque seconde, il cognera, bourdon d'un glas de silence, de solitude et d'abandon. L'argile est son linceul. Sa tombe n'aura pas d'allée, pas de rang, pas même de fossoyeur. Le temps la creusera, un bel ouvrage de trou, un trou dans les mémoires. Il n'aura pas de visites, pas de fleurs.

Seule restait cette graine, cette toute petite faîne, réfugiée dans son poing. Elle aurait dû périr, elle aussi, sombrée dans la bourbe et suffoquée dans le sang, broyée par l'acier, quand cette main tendue, éperdue de vivre, raidie par la faux, l'a cueillie au vol de l'extrême instant. Elle aurait dû périr et il aurait pu vivre, mais, en cette seconde ultime où leurs destins s'hybrident, ils font un pacte suprême : il lui offre sa mort et elle le fera vivre. Ce furent leurs noces de glaise.

Au premier instant, il lui transmit son âme et la force de cette vie qui s'en allait. Doucement, précieusement, il la lui souffla. Elle reçut l'offrande, cette relique invisible dont elle serait l'écrin, qu'elle offrirait au monde et donnerait à voir. On viendrait la vénérer, dans une cathédrale montée par tous ces envolés en pierres de chair et en mortier de sang. Blottie dans ce corps, portée par leur rêve d'exister malgré tout, la graine pouvait grossir, grandir, s'épanouir. Il était le fruit tombé à terre, gangue éphémère et nourricière qui lui permettrait d'affronter l'hiver. Peu à peu, en gorgées délicates, elle l'aspira, le butina et fit une sève de son cloaque. Rassuré, apaisé, il prit confiance et se livra entier. Alors, enivrée de désir et enhardie d'exister, elle se déploya et l'enlaça de ses membres, dans une vorace et tendre étreinte. Ce fut, au long des jours, une orgie morbide et délicieuse, un banquet festif d'épousailles sans témoins dont les convives formaient une équipée macabre, un coït funéraire d'où naîtrait l'entêtement à vivre. Enfin, survint le jour où, grosse de son festin et repue de plaisir, turgide du désir d'exaucer leurs vœux, elle enfanta un arbre sur la plaine congestionnée de mort. Il avait surgi du sol, offert et vulnérable. Enragé d'être, porté par l'âpre combat et désireux de repousser les frontières du vide, il se lança à l'assaut de la fatalité afin d'en déloger l'oubli, cet ennemi honni.

Ce fut une course tenace, un lent empressement, une fougue sereine vers l'azur. Dans l'étendue monotone, il fallut affronter les rafales et les bordées de pluie. Mais il n'était plus seul. Un allié précieux joignait aux siennes ses forces décisives. Le temps se répandait, fidèle, constant, inaltérable. Inlassable tisseur d'existences, il lui trama la sienne en fils de patience sur son métier sans fin. Dès lors, ce fut une trouée, une percée triomphale, un coup de poing au ciel lancé dans la plaine pétrifiée. Les années passèrent, régulières, intarissables d'assiduité. Infatigables consoleuses de maux, elles appliquèrent le baume de leur ténacité. Entre leurs mains, la lande mutilée et dépecée se rétablit peu à peu de l'acharnement bestial d'une meute en curée. L'arbre triomphant avait montré le chemin. Il guidait désormais tout un peuple surgi de terre.

Elle est au cœur de cette étendue hâlée qui s'apprête à l'hiver. Elle est si loin du village désormais, si loin, portée par ses pas autant que par ses pensées. C'est ici, ce n'est pas là-bas. La terre l'a appelée, elle l'a guidée, elle lui a parlé, elle lui a tout dit, tout raconté. Elle la réchauffe maintenant, elle lui partage le soleil qui se donne au bleu. Ça lui fait du bien. Le bois est là, devant elle. Oui, c'est ici, elle le sait.

Alors elle reprend sa marche. Elle sait vers quoi elle va. Ses yeux ne se détachent plus des arbres encore touffus d'or, à la cime desquels brûle une forêt de cierges. Le repos dépouille tout, à peine haussé des cloches qui, au loin, machinales, envoient l'heure. Midi, compte-t-elle. Elle sortirait de l'église si elle était chez elle, ils doivent tous y être. Elle approche. Elle observe les arbres et elle ignore ce qu'elle ressent, cette sensation qui la surprend. Par instants, cela ressemble à la peur, mais elle n'a pas peur, elle sait ce qu'est la peur. Elle est intimidée autant qu'attirée, décontenancée mais assurée, empressée et tranquille. Elle voudrait courir en amassant l'instant, crier en secret, appeler en patience. Serait-elle folle ? Est-ce cela la folie ? Non, elle n'est pas folle, elle le sait qu'elle n'est pas folle. Ce n'est pas cela d'être folle. Elle a cru devenir folle, mais ce n'est pas ça, elle en est sûre que ce n'est pas ça. Ce qu'elle éprouve est autre chose. C'est comme si toute sa vie, toutes ces longues années s'étaient retrouvées en elle, ici, maintenant. C'est toute sa vie précipitée, un éclair de vie, toute l'énergie d'une vie qui se libère et l'irradie. Tout est en elle à la fois, cohue de sentiments qui ne mentent pas. Elle marche, elle s'approche, elle est à portée. Elle distingue nettement les premiers troncs qui portent la voûte d'ombre. Elle a envie d'y plonger. Elle s'arrête un instant. Elle respire, elle goûte, elle écoute. Encore. Elle souhaite que cela dure. Elle n'est pas pressée, elle n'a plus de raison de l'être. Elle sait désormais, elle n'a pas besoin.

C'est tellement bon de savoir. Le poids de l'ignorance vient de tomber, ce fardeau intraitable vient de choir, mort, tué d'une balle de vie, transpercé d'une graine. Elle n'est plus son esclave, il n'est plus son maître, elle ne sera plus ni son gîte ni son couvert, il ne rampera plus dans ses veines, n'étouffera plus son cœur et ne rongera plus son crâne. C'était cela la folie. Il suffit de ne pas savoir pour devenir fou, elle le sait maintenant. Alors elle n'est pas folle, elle ne l'est plus. Tout cela est vrai, tout cela est réel. C'est là, devant elle, devant ses yeux. Elle le voit, elle l'a vu, cela s'est passé ainsi et c'est désormais ainsi, depuis toutes ces années et pour toutes celles qui seront. Elle n'a plus de doute, elle ne peut plus en avoir et il n'y a pas à en avoir. Non, il n'y en a pas. Elle est bien là, vraiment là, elle sent, elle voit et elle entend. Que peut-il y avoir d'autre que cela ? Qui pourrait la contredire ? Qui pourrait le nier ?

Quelques pas supplémentaires et elle se donne au couvert. Elle avance, sans un bruit, comme dans une église, un cimetière ou un dortoir, elle ne sait pas, tout cela peut-être. Elle ne veut rien briser, rien réveiller ni offenser, ni même rien remuer de ce bain d'évidence. La chorale de couleurs susurre ses nuances d'ambre, le tapis de feuilles murmure ses pas, les brumes finissent de languir les arbres, le soleil s'épanche entre les cimes, les oiseaux cousent le silence. Le silence. Elle ne veut écouter que lui, elle veut qu'il lui parle, lui dont elle a tant voulu qu'il se taise. Elle s'enfonce entre les arbres. Ils sont partout, ils l'entourent, ils sont une foule qui lui tend ses milliers de bras. Quelques pas encore. Elle est bien au milieu d'eux, elle est si bien. Elle n'est pas seule, ils veulent son bien, ils sont là, disponibles, accueillants. Ils veulent lui raconter leur histoire, lui dire qui ils sont. Ils savent qu'elle a compris, ils savent qu'elle va écouter. Alors elle s'arrête et elle les dévisage. Ils sont si nombreux. Elle file le temps, elle les embrasse des yeux, elle veut les voir tous, n'en oublier aucun. Son regard donne à chacun son affection, le dévisage et découvre tous ses membres. Ainsi ils se parlent. Ils sont si différents, quand on prend ce temps, si différents. Leurs troncs lisses et gris, leurs petites feuilles, uniformes, ne sont qu'une illusion. C'est ailleurs que l'on voit. Chacun a son allure, sa façon et sa personne. Il suffit de regarder. Alors elle regarde. Avec chacun elle lie connaissance, à chacun elle s'intéresse, à chacun elle sourit. « Ce sont des hêtres », se dit-elle, « oui, une belle compagnie de hêtres ». Elle les contemple, racines nouées, branches enlacées, liés de destin, inséparables désormais, et sur chacun d'eux, elle voit aussi ces blessures, profondes, qui disent les combats de leurs vies. Troncs troués, branches arrachées, cimes écrêtées, croûtes purulentes, tous, boursouflés de cicatrices, lui disent leurs luttes et leurs douleurs, tous lui disent que leur vie est longue, qu'elle est dure, qu'elle est âpre, qu'ils ont cru mourir, bien des fois, mais qu'ils sont encore là, vivants, à leur façon, droits, fiers, estropiés, mutilés, mais debout et vivants. Ils lui disent qu'ils se souviennent, qu'ils ont pris dans le sol l'histoire de cette terre et des hommes qui ont fait corps avec elle, qu'ils ont souffert avec eux et vécu par eux. Ils sont leurs traces et, plus que cela, ils sont eux, eux tout entiers, et ils les portent là-haut, à l'assaut du ciel, tout en haut, au-dessus de l'oubli et par-delà le silence.

Elle médite cette armée de bois, dure, résolue, cette cohorte de vivants qui défilent sous ses yeux. Ils sont là, ils sont tous là, ils ne sont pas morts, ils ne l'ont jamais été et personne ne le savait. Elle le sait, elle, désormais, elle le sait, elle les a retrouvés, elle les a reconnus et leur a parlé. Ils sont en terre, mais pas enterrés, la terre ne les a pas pris, elle les a nourris, elle les a choyés, puis elle les a poussés, soulevés, portés, plus grands, plus forts, plus beaux. Et elle poursuit son œuvre, et elle défie le temps. Elle les aime, ils sont ses enfants, ils sont le fruit de sa chair, elle leur donnera son sein pour les siècles, elle les tiendra debout, elle les jettera au ciel, et tous les hommes, tous, vivant ici et maintenant, et leurs enfants, et les enfants de leurs enfants, seront, eux, morts et couchés depuis longtemps, que ces hommes-là, ces hommes partis soldats, seront encore debout, droits, dignes, nobles et majestueux, au-dessus de tous les autres, passés et à venir. Et de toute leur hauteur, phares enracinés, ils parleront au monde et lui diront qu'à mourir debout, on ne cesse de vivre et encore moins de grandir.

Ils sont si beaux. Elle voudrait se jeter dans leurs bras, les fêter, les baiser, tous, un à un. Elle voudrait qu'il y ait la musique, les flonflons, elle voudrait un cortège, elle voudrait un banquet, des chevauchées de plats, des torrents de boisson. Et on danserait, on danserait comme des fous, et elle danserait, elle danserait avec eux, elle danserait avec tous, et on chanterait, et on prendrait des photos, ah ça oui, on en prendrait des photos, des quantités de photos, toute une histoire de photos, chacun d'eux avec elle, elle leur tiendrait le bras, elle leur tiendrait la taille, et ils riraient, et ils voudraient recommencer, encore, oui encore une, une autre, encore, encore, et ils en prendraient d'autres, tous ensemble, serrés les uns contre les autres, des photos de noces, de vraies photos de noces, les noces des retrouvailles, les noces du retour, les noces pour toujours. Plus rien d'autre n'existe, toute la vie est là. Elle va parmi eux, elle rit, elle les touche, leur dit un mot, à chacun. Elle va à l'un, elle va à l'autre, ils sont si nombreux, elle s'en moque, elle a le temps, tout le temps, ils l'ont tué, le temps, pour de bon, ils l'ont tué et ils lui offrent sa dépouille. Il est à leurs pieds, couché, sanglant, raide, battu, il ne bat plus la mesure, il ne la battra plus.

Là, devant elle, l'un d'eux, si différent. Elle s'arrête. Sa tête s'arrête. Son souffle s'arrête. Son cœur s'arrête. Tout s'arrête. Tout. Cet arbre. Ce hêtre. Si grand. Si haut. Si large. Si beau. Ses longues racines, longues comme des doigts, veines de mousse sur le tapis d'automne, cajolent la terre. Son corps nu, lent, interminable, se dresse comme un cri. Sa peau lisse, martyrisée, tigrée de cicatrices, transpire la soif. Ses membres, denses, épais, secouent le ciel. Il est là, devant elle. Il n'est pas comme les autres, c'est une évidence, il ne lui est pas comme les autres. Il lui est différent, il lui est unique, son âme lui dit, son corps lui crie. Elle respire. Un pas. Deux. Trois. Il l'attend. Elle marche vers lui, heureuse. Elle s'en va le rejoindre. Il est là, devant elle, c'est lui, c'est bien lui. Il l'appelle, elle en est certaine, elle reconnaît sa façon. Elle s'arrête. Elle est près de lui, tout près, à portée, presque contre. Elle peut le toucher. Elle n'ose pas, pas encore. Elle n'ose pas toucher ce corps qu'elle a peut-être oublié, ce corps dont tant d'années l'ont éloignée. Il y a tant dans ces quelques centimètres, tant de temps à franchir. Il est là pourtant, devant elle, maintenant. Son bras s'élève, rougissant, presque lourd. De l'écorce solide elle voit chaque grain, chaque rainure et chaque nuance. Une profonde entaille, aux revers charnus, rampe sur le tronc, lèvres de douleur. Sa main se présente, hésite, reprend son cours, se pose enfin. Ce n'est pas un frisson, ce n'est pas froid, ce n'est pas chaud, c'est un peu tout cela, une émotion, une énergie, un mascaret de douceur. Cela ne dure qu'un instant, un tout petit instant qui l'emplit de possibles, comme si cette vague effaçait le sable de sa mémoire, les traces des tempêtes passées, et lissait, à la place, une ardoise où tout récrire. Elle est tellement bien. Elle le touche et c'est comme si tout recommençait. Sa main passe et repasse, elle l'effleure, se fait plus ferme, elle veut en sentir toutes les teintes, tout le caractère. C'est bien lui, c'est certain, c'est bien lui, c'est sa peau. Alors ses doigts reviennent à la cicatrice et, la paume bien à plat, elle en masse l'ourlet de son pouce. C'est si doux une cicatrice, une lèvre, une bouche. Elle fait le dernier pas. Elle va contre lui et son autre bras enlace le tronc. Il est là, à elle, entièrement. Elle le serre, elle le tient contre elle, elle ne veut plus le lâcher et ses doigts consolent chacun de ses flancs. Elle pose son front sur lui. Elle le respire. Elle le sent flotter et venir, comme un doux nuage qui lui enveloppe l'esprit. C'est lui, oui, c'est bien lui. Alors ses lèvres se posent sur les siennes et, d'un long baiser, ils scellent le serment du temps qui vient. Elle ne le lâchera plus, non, ils ne s'éloigneront plus. Rien ne se mettra plus entre eux, rien, ni le temps, ni la distance, ni personne, rien, rien ne pourra plus rien contre eux, rien. Ils seront deux êtres qui ne feront plus qu'un et ils seront tout. Elle pose sa joue tout contre lui. Ses bras le prennent plus fort, sans cesse plus fort, ses doigts l'agrippent, la greffent à lui. Tout son corps, tout entier, collé, veut se fondre en lui à son tour, elle veut entrer dans cette écorce, elle veut s'en recouvrir, elle veut être cette sève qui le nourrira désormais et le fera grandir à son tour, là-haut, au-delà de plus haut. Elle veut devenir arbre, elle aussi, pour grandir avec lui, être grands à deux et être grands ensemble. Alors elle le serre de tout ce qui lui reste et elle veut lui parler, lui parler enfin, lui dire tout cela, et puis tout le reste, qui est là, en elle, préservé pour lui. Elle respire, elle a le temps, ils ont le temps, désormais. Elle entrouvre les lèvres, « Tu sais, j'aimerais tant que… »

« Bon ben voilà j'ai terminé pour aujourd'hui. Quel temps il fait dis donc, regarde-moi ça comme il a plu ! J'ai fait tout ce que je t'ai dit. J'ai aussi changé ton lit et j'ai mis tous les draps à laver. Ça doit être presque fini maintenant. On va pas les mettre dehors pour la peine, je vais les étendre dans la buanderie, Papa te les ramassera. Et toi ça a été ? C'était pas trop long ? »

Faisant quelques pas en arrière, contournant à nouveau la longue table, franchissant en sens inverse les vantaux de verre opaque, les refermant derrière soi, longeant le couloir vers la porte d'entrée et franchissant celle-ci pour se remettre au monde, on aurait senti l'air fraîchi par la bourrasque réveiller sa peau et disséminer les voix qui se répondaient à l'intérieur.

« J'aurais bien pu encore faire un peu les carreaux mais vu le temps qu'il fait, vaut encore mieux attendre parce que ça risquerait de refaire des traces tout de suite s'il se remettait à pleuvoir. Ça serait bien la peine de se donner ce mal là pour rien. Elle verra bien de toute façon Marie-Louise, elle s'en occupera quand il faudra. »

Les gravillons s'épongeaient, les auges, stoïques, balisaient le chemin vers l'allée et sa garde de poiriers, la rotonde risquait un œil et le légumier, dans son coin, se grisait en cachette de l'abondance du ciel. Les pommiers en avaient vu d'autres, les moutons s'en moquaient, l'herbe n'en serait que plus crémeuse.

« Tu as fini avec tes cartes ? Tu veux que je les range ? Oui ? Tiens, regarde, je vais les remettre bien dans leur boîte, des cartes comme ça, ça serait dommage de les abîmer. Voilà. Je vais reposer ça dans l'armoire, bien à sa place. Elle est rudement belle dis donc la coiffeuse dans ta chambre, avec les petits tiroirs sur les côtés. Qu'est-ce que tu dis ? C'était de tes parents ? Ah ben dis donc, c'est qu'elle a de l'âge en plus ! »

Remontant cette galerie engourdie en direction de la route, les pas crisseraient bas dans le silence épaissi, le portillon grincerait pour réveiller tout cela, les petites marches grises se laisseraient deviner sous leur édredon de rhododendrons, la route de temps à autre bourdonnerait. Par-delà tout le reste le clocher du bourg, là-bas égrènerait un quart d'heure.

« Et la cloche dessus c'est la tienne ? Oui ? Je savais pas que t'en avais une. Elle est drôlement belle aussi dis donc ! C'est toi et Pépère alors sur la photo ? Et les enfants c'est Papa et tante Suzanne ? Ça me ferait plaisir que tu me racontes tout ça un jour, tu dois en avoir des choses à dire. Et puis toutes tes cartes. Tu dois en avoir des souvenirs à nous raconter. Il paraît que c'est pareil pour tous les vieux, on se rappelle mieux son jeune temps, c'est la jeunesse qui remonte. Tu trouves pas ? Tu trouves que c'est autrement toi ? Tiens, je me disais, tu sais ce qu'on va faire comme j'ai rien de prévu de plus aujourd'hui ? Je vais préparer quelque chose et on va manger ensemble. Je vais regarder ce que Papa t'as mis dans le frigo et je vais éplucher des légumes. J'en ferai un peu plus, comme ça t'en auras de prêt pour d'autres fois, t'auras qu'à réchauffer. Ah, regarde donc ce temps qu'il fait, ah ça on peut dire qu'on en a cette année. Bon, tu vas me dire qu'il faut pas se plaindre, que c'est encore la saison où il faut qu'il pleuve. Hein, j'ai pas raison que tu vas me dire ça ? C'est vrai qu'on a toujours tendance à se plaindre, ça, c'est vrai que pour se plaindre on se plaint, on dit toujours que c'est pas une vie un temps comme ça. Oui, c'est ce qu'on dit. Qu'est-ce que tu dis ? Il faut pas se plaindre, il vient toujours meilleur après ? »

Au loin, le vert soulevait une timide bande de bleu. La campagne normande philosophait et l'avenir, infinissable optimiste, gondolait son flegme.

Bien chère Madame,

C'est le cœur bien lourd que je ne peux vous laisser plus longtemps dans l'inquiétude qui est la vôtre et sans connaissance du malheur qui vous frappe. J'ai ainsi, et de la part de tous ses camarades, l'immense tristesse de vous faire part de la disparition à l'ennemi de votre cher et regretté époux.

Ce malheureux événement est survenu le 6 octobre dernier. Notre régiment tenait alors son tour de premières lignes dans le secteur de Vigenry lorsque nous avons reçu ordre de conquérir les postes allemands qui résistaient encore suite à la grande attaque de septembre, afin de reprendre définitivement à l'ennemi la terre de la mère Patrie qui nous est si chère. Après de longues heures de préparation de notre artillerie, notre compagnie s'est lancée à l'assaut. Nous avons alors été, à notre tour, pris sous un bombardement d'une violence inouïe, un véritable orage d'acier. Nos hommes, au premier rang desquels votre bien-aimé, ont alors fait preuve d'une bravoure exceptionnelle, ne renonçant pas à avancer malgré la terrifiante hécatombe qui les frappait.

Malheureusement, une fois les combats terminés, nous n'avons pu que constater l'absence de votre cher époux, comme de tant d'autres. Les recherches conduites dans les jours qui ont suivi sur le champ de bataille et dans nos hôpitaux n'ont pas permis de le retrouver ou d'identifier sa pauvre dépouille. Sa mort n'a pas été vaine puisque l'obstination de nos valeureux hommes nous aura permis de remplir la mission importante qui nous avait été confiée. Que sa mort glorieuse en repoussant l'ennemi de France puisse contribuer à soulager votre chagrin.

Toujours volontaire et prêt à aider, il était un soldat dont la valeur et le courage étaient reconnus de ses officiers et sous-officiers et dont la camaraderie exemplaire était appréciée de tous ses braves camarades. Sa perte est une douleur pour la compagnie et la France perd avec lui un soldat et un homme dont elle peut être fière.

Je souhaite vous assurer, Madame, de la douleur qui fut la mienne à voir tomber mes hommes autour de moi lors de ces combats et je m'associe à la vôtre autant que je le puis. Je me tiens à votre disposition si vous souhaitez obtenir d'autres renseignements et je vous assure que, si nous avions la chance de retrouver le corps de notre héroïque soldat à l'avenir, nous vous en tiendrons aussitôt informée et lui offrirons la sépulture qu'il mérite.

Au nom de tous les officiers, sous-officiers, caporaux et soldats de la compagnie, je vous adresse, chère Madame, nos plus sincères regrets et vous assure de la considération la plus élevée pour l'homme que vous aimez, tombé en brave dans l'accomplissement de son devoir.

Le capitaine commandant la compagnie
A. de la Jonquère.

Remerciements

Je ne remercierai jamais assez les personnes suivantes :

– Christophe Prat pour le premier coup de pied aux fesses, il y a bien longtemps déjà ;

– Stéphanie Assante, pour le second coup de pied aux fesses, il n'y a pas si longtemps ;

– Raphaëlle Giordano, pour le petit coup de pouce il y a bien moins longtemps ;

– Thierry Billard, pour ses compliments, le grand coup d'espoir et les conseils avisés, il y a trop longtemps déjà.

Alain, Anne, Aurélie, Aurélie, Cécile, Didier, Emilie, Emmanuelle, Frédéric, Isabelle, Isabelle, Jacques, Laurence, Laurence, Lauriane, Liliane, Sandrine, Sébastien, courageux primo lectrices et lecteurs qui auront essuyé les plâtres du jusqu'au boutisme.

Imprimé en Allemagne
Achevé d'imprimer en janvier 2022
Dépôt légal : janvier 2022

Pour

Le Lys Bleu Éditions
40, rue du Louvre
75001 Paris